Hufen Afiach

Si
H

Meilyr Siôn

lluniau gan
Huw Aaron

Cyhoeddwyd gyntaf yng Nghymru yn 2018 gan
Atebol, Adeiladau'r Fagwyr, Llanfihangel Genau'r Glyn,
Aberystwyth, Ceredigion SY24 5AQ

www.atebol.com

Dyluniwyd gan Elgan Griffiths

ISBN 978-1-91-226157-4

Argraffwyd a rhwymwyd yng Nghymru.

Pennod 1

'Dwi'n rhydd o'r diwedd,' bloeddiodd Beli Bola Mawr cyn cwympo ar ei ben-ôl. Sbonciodd yn wyllt ar fwrdd ei long blastig gan greu tonnau enfawr. Sobrodd yn sydyn pan gofiodd nad oedd e'n gallu nofio. Byddai plymio'n ôl i'r gwaelodion hallt yn hunllef, ac yntau newydd godi ei ben uwch y tonnau am y tro cyntaf ers canrifoedd! Caeodd ei lygaid wrth anadlu'r awyr iach yn ddwfn. Roedd wedi breuddwydio am yr eiliad hon ers sbel. Dechreuodd ei stumog gwyno ac edrychodd i lawr arni. Roedd hi'n dipyn llai'r dyddiau yma, meddyliodd, ac ysai i'w llenwi unwaith yn rhagor gyda'i hoff fwyd yn y byd o gyd, sef hufen iâ!

Tarfwyd ar y tawelwch gan sgrechiadau uchel.

'Beth yw hwn?' meddai llais sgrechlyd.

'Mynydd,' bloeddiodd llais arall.

'Dwi erioed wedi gweld mynydd fan hyn o'r blaen!' ychwanegodd trydydd llais yn groch.

Agorodd Beli ei lygaid a gweld tair gwylan yn cloncan ar ei fola. Roedd eu cleber swnllyd yn dechrau rhoi pen tost iddo.

'Mae mynydd arall lawr yn fan'na,' nododd yr wylan fwyaf o'r tair yn gyffrous, cyn gwneud pw-pw ar fola'r cawr.

'Ti'n iawn, Beti!' meddai un o'r gwylanod eraill.

'Dwi bob amser yn iawn, Bob!' cyhoeddodd Beti'n fawreddog. 'Edrychwch, mae coedwig goch ar waelod y mynydd.'

Synhwyrodd Beli mai ei farf oedd y goedwig.

'Gyda dau lyn glas uwchben y coed!' nododd Bob.

Ei lygaid oedd y llynnoedd, tybiodd y cawr.

'Mae 'na ddwy ogof dywyll wrth droed clogwyn serth rhwng y llynnoedd a'r coed,' ychwanegodd y drydedd wylan yn gyffrous.

Mae'n rhaid mai ei drwyn oedd y clogwyn a'i ffroenau oedd yr ogofâu, meddyliodd Beli.

'Ti'n llygad dy le, Barbra!' cytunodd Beti a Bob yn swnllyd.

'Hei! Beth ry'ch chi'n galw dyn â gwylan ar ei ben?' holodd Beti. Syllodd Bob a Barbra arni'n fud.

'Cliff!' bloeddiodd hithau'n uchel.

‘Cliff! Cliff! Cliff!’ canodd Bob a Barbra’n arw rhwng pyliau o chwerthin gwyllt.

Roedd pen tost Beli Bola Mawr yn gwaethygu. Llygadodd yr adar swnllyd am rai eiliadau a dechreuodd deimlo’n llwglyd. Byddai’r gwylanod yn gwneud byrbryd blasus ac yn rhoi’r cyfle iddo roi taw ar eu sgrechian. Estynnodd ei ddwylo mawr, blewog yn araf tuag atyn nhw. Roedd o fewn trwch blewyn i ddal y tri aderyn pan ddechreuodd ei fola gwyno’n ffyrnig.

‘WA! WA! WA! Mae’r mynydd yn crynu!’ sgrechiodd Bob.

‘Efallai mai llosgfynydd yw e!’ ychwanegodd Barbra’n ofnus.

'Dewch, cyn iddo ffrwydro!' gwaeddodd Beti wrth i'r gwylanod hedfan i ffwrdd tuag at y gorwel.

Ochneidiodd Beli wrth i'w fola gwyno unwaith eto. Roedd e'n llwgu. Dychmygodd ei fod e'n eistedd yn ei ogof anferth ym mola'r Mynydd Menyn yng Nghwm Cwstard, yn bwyta hufen iâ. Glafoeriodd wrth gofio'r blasau gwahanol – siocled a winwns, bacwn a mefus, sos coch a fanila ... i enwi dim ond tri!

Estynnodd fag plastig a thwrio'n wyllt am eiliad neu ddau cyn codi octopws allan ohono.

'Gwed wrtha i, Owena, sut gwna i ddod o hyd i'r lan?' holodd yn llym.

'Wyt ti'n addo fy rhyddhau i os dwi'n dy ateb di?' gofynnodd yr octopws yn ofnus.

'Dwi'n addo!'

'Wir?'

'Wir!'

'Bydd rhaid i ti ddilyn y gwylanod. Dy'n nhw byth yn hedfan yn bell o'r lan.'

'Sut wyt ti'n gwybod?' holodd Beli.

'Does 'na'r un creadur mor wybodus â'r octopws,' atebodd hithau'n ddidwyll.

'Cawn ni weld am hynna,' wfftiodd Beli cyn stwffio Owena 'nôl i'r bag.

'Ond fe wnes ti addo,' cwynodd hithau.

'Bydd dawel neu fe wna i dy fwyta di!' rhuodd yntau drachefn cyn rhwyfo â'i ddwylo mawr.

Roedd yr haul wedi machlud erbyn i Beli gyrraedd y lan. Disgynnodd yn flinedig ar y tywod meddal. Y tro diwethaf iddo deimlo tir sych o dan ei draed roedd e'n ffoi oddi wrth drigolion Cwm Cwstard. Roedd y bobl wedi cael digon ar ei orchmynion, cofiodd yn ddig. 'Mae'n amhosib cadw lan gyda'ch chwant am hufen iâ, eich mawrhydi!' oedd eu cwyn. Credai Beli mai diog oedden nhw, a chyhoeddodd ei fod am ddechrau bwyta'r hen bobl, ac yna'r plant, os na fydden nhw'n gweithio'n galetach! Ond anwybyddu ei orchmynion wnaeth y trigolion a'i orfodi i'w heglu hi i waelod y môr ar ôl iddyn nhw ei erlid e yno.

Cofiodd Beli am ei gyfnod caeth o dan y tonnau. Roedd y lle'n llawn pysgod a chrancod ar y dechrau ond fe fwytodd yntau'r creaduriaid i gyd, ar wahân i Owena, wrth gwrs. Byddai wedi bwyta'r octopws hefyd heblaw am ei chyngor. Hi ddywedodd wrtho am adeiladu llong o'r sbwriel plastig a nofiai o'u cwmpas yn y môr. Fe ddaeth hi'n ddefnyddiol hefyd wrth iddo'i gorfodi i wneud y gwaith caled o adeiladu'r llong, ac o fewn dim o beth roedd popeth yn barod.

Eistedd ar y dec roedd Beli wrth i Owena'u llywio nhw tuag at wyneb y dŵr. Yr eiliad y cododd y llong allan o'r tonnau, dyma'r cawr yn cydio yn yr octopws a'i wthio i mewn i fag plastig. Roedd doethineb Owena'n werthfawr iawn iddo a theimlai'n siŵr y byddai'r creadur wyth coes yn ddefnyddiol iddo eto yn y dyfodol. Roedd y digwyddiad gyda'r gwylanod newydd brofi hynny, felly doedd ganddo ddim bwriad i'w rhyddhau hi ar unrhyw amod.

Cododd Beli ar ei draed yn araf ar ddec y llong, gan edrych fel tŵr uchel yng ngolau'r lleuad lawn. Syllodd yn hir ar y wlad o'i gwmpas. Anadlodd yn ddwfn a llifodd arogl cyfarwydd i'w ffroenau. 'Dyna arogl afon Cwstard!' ebychodd yn gyffrous. Mentrodd dros ochr y llong a dawnsio'n hapus ar hyd y traeth, gan ysgwyd y crancod o'i gwelyau gwymon a'r adar o'u nythod yn y coed gerllaw.

'Mae'n amser mynd adre!' sibrydodd yn faleisus wrth Owena yn y bag plastig. 'Caiff trigolion Cwm Cwstard dalu'n ddrud am fy erlid i o'r fro!' Chwarddodd Beli'n greulon wrth gicio'r coed, fel plentyn yn cicio teganau pren o'i ffordd. Dilynodd ei drwyn gan ddiflannu i ganol y wlad tu hwnt i'r traeth.

Doedd gan drigolion Cwm Cwstard ddim syniad o'r trafferthion di-ri oedd yn eu hwynebu'r eiliad honno ... na Beli Bola Mawr chwaith!

Pennod 2

Eisteddai Sali Seimllyd yn ddiflas ar iard yr ysgol. Roedd y disgyblion wrthi'n chwarae rownderi'n hapus yng ngofal Miss D. Glem, y brifathrawes. Gwyddai Sali fod y plant yn cadw draw oddi wrthi oherwydd ei gwallt. Ble bynnag y byddai hi'n mynd,

byddai ei gwallt hir yn gadael trywydd seimllyd ar ei hôl, fel trywydd disglair malwen ddu mewn gwely o flodau.

Teimlai Sali'n unig ac roedd saim ei gwallt yn codi cywilydd arni. Cwynai trigolion Tre Saim yn aml wrthi. 'Er mwyn y nefoedd, Sali, golcha dy wallt!' meddai rhai. 'Mae'n amhosib cerdded heb lithro ar y palmentydd ar ôl i ti fod yma!' cwynai eraill.

Roedd ei rhieni wedi cael llond bol hefyd. Roedd yn rhaid iddyn nhw wisgo welis wrth symud drwy'r cartref teuluol! Byddai'r saim yn wlyb dan draed pawb ac yn gwneud iddyn nhw lithro a disgyn yn fflat ar lawr byth a beunydd. Gwyddai Sali mai dyma'r rheswm doedd neb yn galw heibio i'r tŷ rhagor.

'Diolch i'r nefoedd ein bod ni'n byw mewn byngalo,' fyddai cân gyson ei mam.

'Ti'n iawn,' cytunai ei thad. 'Dwi'n siŵr y bydden ni wedi torri pob asgwrn yn ein cyrff pe bai'n rhaid i ni ddefnyddio grisiau, a rheini wedi'u plastro mewn saim!'

Cofiodd Sali am helbul y bore hwnnw pan gyrhaeddodd llythyr drwy'r drws oddi wrth y cyngor. Darllenodd ei thad y llythyr yn uchel:

'At sylw:

Mr a Mrs Seimllyd,

Llys Nafedd,

Cwm Cwstard, SL 1MY

Ysgrifennwn atoch i'ch hysbysu ein bod ni'n ystyried codi tâl arnoch er mwyn clirio saim gwallt eich merch, Sali, oddi ar strydoedd a ffyrdd Tre Saim.

Rydym wedi derbyn cwynion fod loriau a cheir yn llithro oddi ar y ffyrdd a bod trigolion yn disgyn ar lawr bob tro mae Sali'n ymweld â'r dref. Yn wir, roedd yr ysbyty methu'n deg ag ymdopi'r wythnos diwethaf ar ôl iddi gerdded drwy'r farchnad gan wneud i bawb ddisgyn dros bob man. Nododd y doctoriaid nad oedden nhw erioed wedi trin cymaint o gleifion o'r blaen. Roedd yr anafiadau'n cynnwys cleisiau ar benolau, breichiau wedi eu torri a phigyrnau wedi eu troi o ganlyniad i saim gwallt eich merch.

Rydym hefyd yn ystyried gwahardd Sali o gyffiniau'r dre tan y byddwch chi'n llwyddo i ddatrys y broblem annymunol yma.

Yr eiddoch yn gywir.

Y Cyngor.'

'Beth wnawn ni?' holodd ei mam yn ofnus. Roedd hi newydd orffen gweithio shifft ddwbl yn y ffatri siampŵ ac roedd hi'n ysu am gael mynd i'w gwely.

'Wel, ry'n ni wedi gweld ein doctor lleol a phob doctor arall yng Nghwm Cwstard a doedd ganddyn nhw ddim syniad beth i'w wneud!' atebodd ei thad yn flin. 'Maen nhw wedi danfon samplau o'r saim at bob arbenigwr yn y wlad ond does ganddyn nhw ddim syniad chwaith! Mae'r arbenigwyr wedi anfon rhagor o samplau i bob cwr o'r byd a does neb ddim callach!'

Dros y blynyddoedd, roedd Sali wedi gorfod dioddef oriau hir a phoenus wrth i'w rhieni sgrwbio'i gwallt gyda phob math o siampŵ drewllyd – pob brand yn honni y gallen nhw sychu'r saim yn sych o fewn dim o beth. A dyna lle roedd ei rhieni'n gweithio o fore gwyn tan nos er mwyn talu am yr holl hylifau gwallt egsotig.

'Dwi wedi cael digon!' cwynodd mam Sali'n flinedig.

'A minnau hefyd,' meddai ei thad wrth roi'r llythyr i lawr

ar fwrdd y gegin. Golchodd ton o euogrwydd dros Sali wrth weld yr olwg flinedig ar ei rhieni. Dyna pryd y sylwodd fod ei thad wedi gwisgo'i bants tu allan i'w drowsus, a'i grys tu allan i'w siwmper!

'Mam, Dad, ewch i nôl y siswrn mawr! Mae'n hen bryd dod â'r dwli yma i ben!' meddai Sali'n benderfynol. 'Mae'n rhaid i chi dorri 'ngwallt i!'

Estynnodd ei thad y siswrn mawr o'r drâr o dan y sinc a'i roi'n ofalus i'w wraig.

'Wyt ti'n siŵr, cariad?' holodd hithau ei merch yn ansicr.

'Dwi'n hollol siŵr, Mam.'

Cydiodd Mrs Seimllyd mewn cwlwm o'r gwallt a'i dynnu'n ofalus at geg finiog y siswrn. Ond roedd y saim yn dal yn broblem. Roedd fel petai'n rhwystro'r siswrn rhag gwneud ei waith, gan orfodi'r llafnau llym i lithro oddi ar y gwallt llithrig!

'Dyw'r siswrn ddim yn gallu torri'r gwallt!' ebychodd mam Sali'n syn.

'Gad i mi roi cynnig arni,' meddai'i thad gan gymryd y siswrn oddi ar ei wraig.

Erbyn hyn, roedd y saim yn llifo fel afon gan orchuddio'r siswrn a llaw Mr Seimllyd. Llithrodd y siswrn o'i afael gan suddo'n araf i'r llyn seimllyd oedd wedi ffurfio ar lawr y gegin.

'Amhosib! Mae hyn yn amhosib!' wylodd mam Sali'n anobeithiol.

'Sali, well i ti fynd i'r ysgol,' meddai ei thad yn ddigalon. 'Bydd rhaid i ni glirio'r saim yma cyn i ni foddi!'

Mwythodd Sali'i gwallt hir yn drist. Beth fedrai hi wneud? meddyliodd yn anobeithiol.

'Sali? Ble wyt ti bach?' galwodd Miss D. Glem yn uchel dros yr iard.

Syllodd Sali i fyny ar yr athrawes. 'Dwi reit o dan eich trwyn chi, Miss,' atebodd hithau'n dawel.

'Ble?' holodd y brifathrawes braidd yn ddryslyd.

Cododd Sali ar ei thraed gan chwifio'i dwylo yn yr awyr. Tasgodd diferion seimllyd oddi ar ei dwylo gan ddisgyn dros bob man.

'O! Mawredd y moron!' datganodd y brifathrawes mewn braw. 'Welais i mohonot ti'n fan'na!'

Chwerthin yn dawel wnaeth y disgyblion eraill o'i chwmpas cyn neidio o ffordd llif saim Sali.

'Dy dro di yw hi i fatio'r bêl nesa, bach,' meddai Miss D. Glem yn dyner.

Llusgodd Sali ei hun tuag y safle batio a chydio yn y bat pren. Anghofiodd ei bod hi newydd redeg ei bysedd drwy ei gwallt a gallai deimlo handlen y bat yn dechrau llithro o'i gafael.

'Wyt ti'n barod, bach?' holodd y brifathrawes. Nodiodd Sali, a'r saim yn tasgu o'i phen fel cawod o law dros bob man.

'Ych a fi!!' gwaeddodd y disgyblion wrth geisio ffoi rhag y diferion slic.

'Tawelwch, os gwelwch chi'n dda,' siarsiodd Miss D. Glem. 'Nawr 'te, beth sy'n digwydd nesa?' holodd wrth syllu'n ddryslyd ar y bêl yn ei llaw.

'Taflu'r bêl at Sali,' atebodd un o'r disgyblion.

'O, ie,' atebodd Miss D. Glem cyn taflu'r bêl tuag at Sali.

Swingiodd Sali'r bat â'i holl nerth nes i hwnnw saethu fel roced o'i gafael. Trwy ryw wyrth, trawodd y bat yn erbyn y bêl nes i honno dasgu i fyny fry i'r awyr.

'Rhed, Sali, rhed!' bloeddiodd y plant yn gyffro i gyd.

Llamodd Sali o'i safle tuag y bas gyntaf a'r saim yn tasgu o'i phen. Trwy gornel ei llygaid, gallai weld y maeswyr yn llithro i bob cyfeiriad wrth iddyn nhw drio rhedeg ar ôl y bêl. Toc, roedd hi wedi clirio'r ail a'r drydedd bas cyn troi ei sylw at y bas olaf. Bu raid iddi neidio fel broga dros un bachgen wrth iddo ddisgyn yn swrth ar y llawr o'i blaen. Gallai glywed sgrechiadau'r

disgyblion o'i chwmpas ond doedd dim byd am ei rhwystro rhag cyrraedd y bas olaf yn ddiogel. Daeth honno'n nes ac yn nes tuag ati a gydag un ymdrech olaf, llwyddodd i'w chyrraedd yn ddiogel.

'Hwrê!' bloeddiodd Sali Seimllyd. Roedd hi'n disgwyl clywed cymeradwyaeth y disgyblion eraill, ond ddaeth neb yn agos ati i'w llongyfarch. A doedd fawr o ryfedd. Arswydodd Sali o weld yr olygfa o'i blaen. Gorweddai'r disgyblion ar draws yr iard fel pysgod newydd eu harllwys ar ddec llong bysgota. Doedd neb yn medru codi – roedd pawb wedi eu dan haenen hylifol o wallt Sali!

Syllodd Miss D. Glem yn gegagored arni. Ysgydwodd ei phen yn anghrediniol wrth i'r diferion gwlithog o wallt Sali redeg i lawr ei hwyneb. 'Dwi'n credu y byddai'n well i ti fynd adref, Sali,' nododd yn syn.

Roedd Sali Seimllyd ar fin nodio'i phen cyn i'r brifathrawes weiddi'n sydyn, 'Na, Sali, paid ysgwyd dy ben! Ry'n ni wedi cael digon o saim am un diwrnod!'

Ochneidiodd Sali'n ddwfn. Sylwodd ar dair gwylan yn rhythu arni o wal yr ysgol. Ysgydwodd yr adar eu hadenydd yn sydyn er mwyn ceisio gwaredu'r diferion seimllyd oddi wedi disgyn ar eu plu hwythau hefyd. Yna trodd Sali ar ei sawdl yn drist tua gatiau'r ysgol.

Pennod 3

'Byddwch yn dawel!' rhuodd Beli Bola Mawr wrth daflu tri phlismon i mewn i'w sach blastig anferth. 'Os glywa i'r un person arall yn cwyno eto fe wna i ei fwyta'n syth, deall?'

Tawelodd cynnwys y bag a dechreuodd Beli ochneidio'n hapus. Roedd e wedi bod wrthi'n ddiwyd drwy'r bore'n rhofio trigolion Tre Saim i mewn i'w fag. Estynnodd law flewog i'w grombil a thynnu hen wraig mewn cardigan wlanog allan ohono. Nodiodd yn fodlon cyn defnyddio'r bensiynwraig fel clwtyn i sychu'r chwys oddi ar ei wyneb. Roedd hithau ar fin sgrechian yn uchel cyn iddi gofio'r bygythiad ddaeth o geg y cawr rai eiliadau ynghynt! Rhoddodd Beli'r wraig yn ôl yn ei fag a thaflu un olwg arall dros y dref.

Yn sydyn, sylwodd ar ferch welw mewn dillad llwyd yn cerdded yn araf tuag ato. Disgleiriai ei gwallt tywyll yng ngolau'r haul fel pe bai newydd ei olchi. Roedd dagrau'n llifo o'i llygaid gleision wrth iddi eistedd ar fainc gerllaw. 'Y plant! Ro'n i'n gwybod 'mod i wedi anghofio rhywbeth!' dwrdiodd y cawr ei hun cyn cerdded draw at y ferch.

Ddau gam yn ddiweddarach, roedd Beli wedi cyrraedd y ferch drist. 'Beth sy'n bod? Beth yw'r rheswm am yr holl ddagrau 'ma?' holodd â'i lais dwfn.

Syllodd y ferch i fyny'n syn ar y cawr mawr oedd yn sefyll yn stond o'i blaen, cyn yn ysgwyd ei phen a thasgodd diferion seimllyd o'i gwallt. 'Mae pawb yn fy nghasáu i,' cwynodd yn dorcalonnus.

'Ond pam?' holodd y cawr. Doedd dim diddordeb ganddo ynddi a dweud y gwir. Ffugio bod yn neis oedd e er mwyn cael mwy o wybodaeth am leoliad yr ysgol.

'Fy ngwallt i,' atebodd hithau heb edrych i fyny. 'Mae'r saim sy'n llifo ohono'n gwneud fy mywyd i'n boen. Dwi newydd gael fy ngyrru adre o'r ysgol.'

Sylwodd Beli fod trywydd gloyw, seimllyd yn ymestyn o'r fan lle roedd y ferch yn eistedd, yr holl ffordd i lawr y tu ôl i fryncyn ar y gorwel. Mae'n rhaid bod y trywydd yn arwain tuag at yr ysgol, meddyliodd yntau'n gyffrous. Llyfodd ei wefusau'n awchus. Ac yn ben ar y cyfan, byddai'r saim yma'n berffaith ar gyfer ei hufen afiach! Dychmygodd ei hun yn llowcio hufen iâ blas moron a madfallod. Byddai'r cynhwysyn seimllyd ychwanegol yma'n rhoi'r ansawdd perffaith i'w rysáit unigryw!

'Beth yw dy enw di, ferch fach?' holodd Beli.

'S-s-s-ali,' atebodd hithau wrth sychu'r dagrau o'i llygaid.

'Mae gen i ddefnydd go arbennig ar gyfer saim dy wallt di, Sali fach,' meddai Beli gan gydio ynddi a'i chodi i'r awyr yn ei law anferth. Chwyddodd ei llygaid hithau fel dau falŵn o weld y cawr yn rhythu arni.

'Pwy wyt ti?' holodd yn syn.

'O, Beli Bola Mawr ydw i!' cyhoeddodd yn fawreddog.

'Pwy?'

'Beli Bola Mawr, Brenin Cwm Cwstard,' meddai eto.

'Brenin Cwm Cwstard?' holodd hithau'n ddryslyd.

'Arweinydd enwocaf a ffyrnicaf y fro!'

'Dwi erioed wedi clywed am hwnnw o'r blaen,' atebodd Sali'n onest.

'Crëwr yr Hufen Afiach?' mentrodd yntau'n anobeithiol.

Ysgydwodd Sali ei phen. Roedd y cawr yn siarad dwli, meddyliodd.

Syllodd Beli'n flin arni. 'Anghofia am hynna am nawr! Rwyt ti'n dod gyda fi,' chwarddodd yn uchel cyn cau ei fysedd yn dynnach amdani.

Dechreuodd gwallt Sali wlitho'n sydyn. Disgynnodd y diferion ohono gan wlychu llaw'r cawr. Trodd y ferch welw mor llithrig â llysywen gan sleifio o afael tyn Beli a glanio'n ddiogel ar y ddaear.

'Un fach slic wyt ti!' chwarddodd yntau wrth iddo geisio'i chipio hi yn ei law arall y tro yma.

Ochrgamodd Sali o afael y llaw anferth yn gelfydd cyn rhedeg i ffwrdd ar ras.

'Dere 'nôl fan hyn!' rhuodd y cawr wrth frasgamu ar ei hôl hi. Yna'n ddirybudd, disgynnodd yn swrth ar y llawr wrth droedio ar y llwybr seimllyd a ddilynai Sali!

Trodd hithau ei phen a gwthio'i thafod allan arno cyn diflannu tua'r gorwel.

'Fe gei di dalu am hynna, Sali! Ti'n clywed?' bloeddiodd Beli Bola Mawr cyn codi ar ei draed yn boenus ac yn araf. Rhwbiodd

ei ben-ôl cyn estyn am ei fag plastig a'i daflu dros ei ysgwydd. Syllodd ar y llwybr disglair a chofio'n sydyn fod ganddo ysgol llawn disgyblion ac athrawon i'w casglu! Gwenodd yn slei cyn troedio'n herciog tuag at gyfeiriad Ysgol Tre Saim.

Pennod 4

Gorweddai Wili Silibili'n hapus wrth lan afon Cwstard. Tywynnai'r haul yn gynnes ar ei wyneb wrth i sisial y dŵr ei suo i gwsg breuddwydiol. Dyma'i hoff amser o'r dydd, sef y cyfnod rhwng diwedd yr ysgol ac amser te. Byddai Wili, yn ddi-ffael, yn ei heglu hi am yr afon ar ôl i'r gloch ganu, gan eistedd yn llonydd dan gysgod y goeden felysion melyn. Doedd fiw iddo ddweud wrth neb am fodolaeth y goeden am ddau reswm. Yn gyntaf, doedd Wili ddim eisiau i'w gyd-ddisgyblion ddod yma gan flingo'r canghennau'n lân. Yn ail, fyddai neb yn Nhre Cleber yn ei gredu ta beth, oherwydd roedd Wili Silibili'n enwog drwy'r fro am adrodd straeon anhygoel.

Cofiodd am y stŵr dderbyniodd gan ei athrawes, Mrs Anni Fyr, y bore hwnnw. Doedd Wili heb orffen ei waith cartref mathemateg y noson cynt. Ychydig iawn o ddiddordeb oedd ganddo yn y pwnc. Byddai ei feddwl bob amser yn dechrau crwydro wrth ddarllen y posau mathemategol. Llifodd y wers ddiflas i'w feddwl cysglyd:

'Mae Dafydd a Rhiannon yn mynd a'u cŵn allan am dro. Maen nhw'n dechrau o'r un pwynt ac ar yr un amser. Mae Dafydd yn cerdded 12 km yr awr, tra bod Rhiannon yn cerdded ar gyflymdra o 10km yr awr ...'

Penderfynodd fynd ati i ysgrifennu stori ddwl yn lle cyfrifo'r ateb cywir i'r pos!

'Aeth Derec y ci am dro gyda'i blantos anwes, Dafydd a Rhiannon,' ysgrifennodd. *'Gwisgai'r ddau blentyn goleri lliwgar roedd Derec wedi'u prynu'n anrhegion iddyn nhw'r diwrnod hwnnw. Gafaelodd yn dynn yn y ddau dennyn gyda'i bawennau blaen gan gerdded yn gefnsyth ar ei goesau ôl.*

Roedd Derec wrth ei fodd yn canu alawon gwerin twp. Y diwrnod arbennig hwn, canodd yn bawen lawen am frogaod yn rapio a physgod yn dawnsio disgo mewn eisteddfod anifeilaidd.

Cerddodd Derec a'r plant heibio i hen wraig oedd wrthi'n brysur yn godro ceiniogau euraid o'i geifr porffor wrth i'r anifeiliaid frefu barddoniaeth yn uchel. Yna'n sydyn, gwibiodd fflamingo fflamgoch allan o'r awyr gan gipio'r bwced llawn ceiniogau o afael yr hen wraig. Mewn fflach, tynnodd Dafydd a Rhiannon eu coleri lliwgar a'u chwifio fel lasŵau cowboi tuag at y bwced oedd yn codi'n uwch ac yn uwch erbyn hyn. Lapiodd y coleri'n dynn am yr handlen a bu raid i'r fflamingo ollwng y llwyth gwerthfawr cyn iddi gael ei llusgo tuag at y ddaear ac i afael crac yr hen wraig!

'Diolch yn fawr iawn i chi,' meddai'r hen wraig yn ddiolchgar cyn taflu llond llaw o'r ceiniogau euraid at y cwmni.

'Croeso,' meddai'r tri cyn bwyta'r ceiniogau a thorri gwynt yn uchel dros bob man.

Y diwedd!'

Credai Wili ei fod wedi cael hwyl ar yr ysgrifennu. Byddai'r stori'n siŵr o blesio Mrs Anni Fyr a chodi gwên ar wyneb surbwch yr hen athrawes!

'Beth yn y byd yw'r dwli 'ma?' bloeddiodd hithau o'r tu ôl i'w desg drefnus y bore hwnnw. 'Posau mathemategol osodais i fel gwaith cartref – nid straeon rwtsh!'

'Ond roedd y posau mor ddiflas,' atebodd Wili'n swil.

'Meddwl wnes i y byddai'n well gennych chi ddarllen stori fach ddifyr yn lle marcio llwyth o atebion oedd yr un peth.'

Syllodd Mrs Anni Fyr yn ddig ar Wili. Dechreuodd ei llygaid bylu wrth iddi grychu ei thrwyn yn ffyrnig. Cochodd ei bochau a thyngai Wili fod stêm yn saethu allan o'i ffroenau a'i chlustiau. Syllodd o'i gwmpas a sylwi ar ei gyd-ddisgyblion yn suddo'n araf tu ôl i'w llyfrau gwaith. Ffrwydrodd yr athrawes fel draig ffyrnig wrth iddi floeddio, 'WILI SILIBILI! OS BYDD ANGEN STORI

DDISYNNWYR ARNA I FYTH, MI OFYNNA I AMDANI, WYT TI'N DEALL?'

Nodiodd yntau ei ben i fyny ac i lawr fel io-io wrth i wyneb yr athrawes agosáu tuag ato gan floeddio:

'Gan dy fod di mor hoff o sgrifennu, dwi am i ti gopïo'r frawddeg: "Dwi ddim am gyfansoddi rhagor o straeon gwirion!" ddeg mil o weithiau erbyn bore fory!'

Roedd Wili'n dal i nodio'i ben ymhell ar ôl i'r gloch gyhoeddi fod y wers a'r diwrnod ysgol wedi dod i ben. Nodiodd ei ben yr holl ffordd draw at yr afon a sylweddoli ei fod e'n dal i nodio wrth bendwmpian yr eiliad honno.

Yn sydyn, clywodd adenydd yn fflapio a lleisiau croch yn cweryla yn y goeden felysion uwch ei ben. Disgynnodd ambell switsen wrth ei ochr wrth i sŵn y cecran gynyddu. Agorodd Wili ei lygaid gleision yn araf a gweld tair gwylan swnllyd yn cecru â'i gilydd.

'Fi pia honna, Beti!'

'Mae digon yma, Barbra.'

'Gwrandewch, chi'ch dau! Byddai'n well i ni frysio a chasglu'r cyfan cyn i'r cawr boliog 'na gyrraedd. Bydd y cyfan wedi

diflannu i'w sach blastig, dwi'n gweud wrthoch chi nawr!'

'Ie, ie, ie, ti'n llygad dy le, Bob,' atebodd y ddwy wylan arall.

'Esgusodwch fi, ond fy nghoeden felysion i yw hon, felly peidiwch â bod mor farus,' ceryddodd Wili'r adar gwynion.

'Wel y wel, wel, wel. Mae'r crwtyn yn gallu'n deall ni'n siarad!'

'Wel, ti'n iawn, Beti,' meddai Barbra.

'Wel, ti'n sobor o iawn,' ychwanegodd Bob. 'Hei, wyt ti eisiau clywed jôc?'

Cododd Wili ar ei eistedd cyn ymestyn ei ddwylo uwch ei ben. Roedd yr adar swnllyd wedi tarfu ar ei gwsg. 'Pam lai?' atebodd yn ddioglyd.

'Beth sy'n berchen ar bâr o ddwylo ond sydd byth yn clapio?' holodd yr wylan.

'Dim syniad,' atebodd Wili.

'CLOC!' bloeddiodd Bob.

'CLOC! CLOC! CLOC!' gwaeddodd y ddau arall cyn chwerthin yn swnllyd.

Roedd yr adar yn dechrau rhoi pen tost i Wili. Wfftiodd wrth feddwl mai fe, fel arfer, oedd yn achosi pennau tost i bobl Tre Cleber â'i straeon dwl!

'Beth ry'ch chi'n neud fan hyn?' holodd Wili er mwyn ceisio tawelu sgrechian yr adar.

'Ry'n ni wedi dod i chwilio am rywbeth i'w fwyta,' meddai Beti'n fawreddog.

'Mae'r cawr boliog 'na wedi bod yn crwydro'r cwm yn casglu pawb a phopeth ar gyfer gwneud ei hufen afiach,' nododd Barbra.

'Bydd dim byd ar ôl i'w fwyta os bydd e'n parhau i flingo'r wlad fel hyn,' rhybuddiodd Bob.

'Cawr?' holodd Wili. 'Pa gawr?'

'Wel, Bola Beli Mawr,' atebodd Bob.

'Nage, Beli Mawr Bola,' siarsiodd Barbra.

'Nage wir, Beli Bola Mawr,' cywirodd Beti ei ffrindiau.

'Ti'n iawn, ti'n iawn, ti'n iawn,' meddai'r ddwy wylan arall yn swnllyd.

'Mae'n well i ti fynd i guddio,' cynghorodd Beti.

'Mi fydd e 'ma cyn bo hir,' ychwanegodd Barbra.

'A dwyt ti ddim eisiau cael dy daflu i'w fag a chael dy orfodi i neud hufen afiach bob awr o'r dydd,' ychwanegodd Bob. 'Yr un diweddaraf yw pupur, plant a phinafal!'

Lledaenodd ias frawychus trwy gorff Wili Silibili. Doedd ganddo ddim chwant bod yn gaethwas na gwneud hufen afiach o fore gwyn tan nos chwaith. Cododd ar ei draed yn sydyn gan roi braw i'r gwylanod yn y goeden.

'Ble rwyt ti'n mynd?' holodd y gwylanod yn frwd.

'I rybuddio trigolion Tre Cleber, wrth gwrs!' gwaeddodd Wili dros ei ysgwydd cyn rhedeg i gyfeiriad y dre ar ei goesau bach cwta.

'Pob lwc!' crawciodd Bob.

'Gobeithiodd nad yw e'n rhy hwyr!' meddai Beti.

'Gobeithio'n wir,' ychwanegodd Barbra.

Yna trodd yr adar eu sylw at felysion blasus y goeden gan lowcio'r rhai aeddfed yn awchus!

Pennod 5

Rhedodd Wili Silibili nerth ei draed i lawr i Dre Cleber. Roedd angen iddo rybuddio'r trigolion fod y cawr, Beli Bola Mawr, ar ei ffordd! Cyrhaeddodd sgwâr y dref fel corwynt. Roedd pawb wrthi'n brysur yn paratoi ar gyfer Gŵyl Brwydr y Baw. Bob blwyddyn byddai timau o bob cwr o'r cwm yn dod i gystadlu ar daflu tartenni mwd at ei gilydd. Y tîm glanaf ar ddiwedd y gystadleuaeth fyddai'n ennill y Cwpan Aflan, a'r tîm mwyaf brwnt fyddai'n gorfod golchi dillad y cystadleuwyr eraill!

'Mae angen i bawb ffoi! Mae'r cawr, Beli Bola Mawr, ar ei ffordd yma!' bloeddiodd Wili nerth esgyrn ei ben.

Syllodd trigolion Tre Cleber yn ddidaro arno. Twtiodd rhai'n dawel ac ysgydwodd eraill eu pennau cyn ailddechrau'r paratoadau.

‘Clywodd pawb beth wedais i?’ holodd Wili drachefn.

‘Cawr, meddet ti?’ wfftiodd maer y dref heb gredu gair. ‘Beth oedd e’r tro diwetha? O, ie, dwi’n cofio, roedd llyffant anferth ar fin glanio ar Dre Cleber a gwasgu pawb a phopeth yn fflat fel crempogau!’

Cofiodd Wili am y stori. Ei chreu hi wnaeth e er mwyn osgoi rhedeg ras draws gwlad yr ysgol o gwmpas parc y dre. Aeth mor bell â gosod posteri ar hyd a lled y dre’n rhybuddio pawb fod y broga wedi’i weld yn y cyffiniau. Ar fore’r ras roedd wedi codi cerflun o froga wedi’i wneud o falŵnau ar gyrion Tre Cleber.

Pan welodd y trigolion y ffurf ryfedd ar eu ffordd i'r gwaith, dyma nhw'n rhedeg i ffwrdd mewn panig gwyllt.

'Dyw hynna'n ddim byd, Mr Maer,' ychwanegodd Mrs Anni Fyr yn flin. 'Dwi'n cofio i ni orfod gwagio'r ysgol gyfan unwaith ar ôl i Wili Silibili honni bod neidr yn llechu yn nhoiledau'r bechgyn!'

Lledodd gwên ddireidus dros wefusau Wili wrth gofio stori'r neidr. Creu honno wnaeth e er mwyn osgoi gorfod gwneud prawf sillafu. Roedd yn gas ganddo brofion. Y noson cyn y prawf, llwyddodd Wili i ddwyn hen rolyn hir o ddefnydd roedd ei fam yn ei ddefnyddio i atal drafft rhag dod dan ddrws y gegin. Edrychai'r rholyn fel selsigen enfawr, felly penderfynodd Wili ludo dau lygad ffelt a thafod roedd wedi eu darganfod ym mocs crefftau ei chwaer fach wrth flaen y rholyn i greu neidr. Cludodd y neidr i'r ysgol yn ei fag a'i gosod wrth waelod un o doiledau'r bechgyn cyn gweiddi'n wyllt ar draws yr iard, 'MAE 'NA NEIDR ANFERTH YN NHOILEDAU'R BECHGYN!'

Syllodd y maer yn ddwys ar y bachgen bach â'r mop o wallt cyrliog, tywyll, oedd yn edrych yn ddireidus arno. 'A sut wyt ti'n gwybod fod 'na gawr mawr am ddod yma i'n cipio ni, Wili Silibili?'

'Ro'n i'n eistedd o dan y goeden felysion ger afon Cwstard

pan laniodd tair gwylan ar ei changhennau. Ar ôl methu cael gwared arnyn nhw, dyma nhw'n dweud fod y cawr cas, Beli Bola Mawr, ar ei ffordd. Hen gawr yw e sydd wrthi'n cipio trigolion Cwm Cwstard cyn eu gorfodi nhw i greu hufen iâ afiach o bob lliw a llun!'

Syllodd pawb yn fud ar Willi.

'Coeden felysion melyn?' holodd un o'r trigolion.

'Gwylanod sy'n gallu siarad?' holodd un arall.

'Wel, Wili Silibili, dyna'r storau orau eto!' meddai'r maer cyn chwerthin yn uchel.

Yn sydyn, dechreuodd y ddaear grynu ac roedd sŵn twrw i'w glywed y pellter.

'Mae storom ar ei ffordd,' ochneidiodd Mrs Anni Fyr yn flin.

'Nid storom yw hi!' taerodd Wili. 'Beli'r cawr sydd ar ei ffordd yma,' mynnodd.

'Cer nawr, Wili bach – mae angen i ni frysio cyn i'r glaw ddod,' meddai'r maer yn llym.

Chwerthin wnaeth y trigolion eraill, cyn troi eu sylw 'nôl ar y gwaith paratoi.

'Dwi'n gweud y gwir ... addo! Mae'n rhaid i bawb adael cyn

ei bod hi'n rhy hwyr!' ymbiliodd Wili'n daer. Ond doedd neb yn gwrando.

Trodd Wili Silibili ar ei sawdl wrth glywed y twrw'n nesáu. Roedd angen iddo rybuddio'i fam a'i chwaer fach a dod o hyd i fan diogel i guddio, meddyliodd yn wyllt. Doedd dim eiliad i'w cholli!

Pennod 6

Safai Poli Peswch Pen-ôl yn nerfus wrth ochr y pwll nofio. Roedd hi ar fin cystadlu yn ras olaf gala nofio flynyddol Ysgol Pentre Pwps. Roedd ei thîm hi, Llys Llipa, yn gyfartal â'r ddau dîm arall, Llys Llithrig a Llys Llwfr. Roedd y tensiwn yn amlwg ar wynebau'r plant a Poli'n ysu i'r ras ddechrau.

'Gyfeillion, dyma'r ras olaf, sef y ras gyfnewid' cyhoeddodd llais taranllyd Mr Oifad. Tawelodd pawb ar unwaith cyn i'r athro cyhyrog barhau â'i gyfarwyddiadau. 'Bydd angen i aelodau cyntaf bob tîm nofio yn eu blaenau, yr ail i nofio ar eu cefnau, y trydydd i nofio dull pilipala cyn i'r aelodau olaf orffen drwy nofio dull broga. Y tîm buddugol fydd yn ennill y gala nofio eleni! Pob lwc i chi i gyd!'

Lledodd y cyffro ymhlith y disgyblion unwaith eto wrth i'r nofwyr wneud eu paratoadau munud olaf. Aeth rhai ati i ystwytho'u cyhyrau wrth i eraill neidio i fyny ac i lawr yn eu hunfan. Ond sefyll fel delw wnaeth Poli. Cynyddodd ei nerfau'n sydyn gan beri cryn ofid iddi. Byddai Poli, heb os, yn cael pesychiad pen-ôl pan fyddai'n teimlo'n nerfus neu'n gyffrous.

Roedd y broblem yn gwneud ei bywyd yn boen. Roedd hi eisoes wedi cael ei gwahardd o lyfrgelloedd y cwm. Gan ei bod hi'n dwlu cymaint ar ddarllen llyfrau, roedd ymweliad ag unrhyw lyfrgell yn ei chynhyrfu'n lân bob tro. Wrth i'r cynnwrf gynyddu byddai'i stumog hithau'n corddi fel peiriant golchi, a'r canlyniad fyddai pesychiad pen-ôl pwerus! A dyna'i diwedd hi wedyn! Byddai'r llyfrau'n cael eu sgubo oddi ar y silffoedd a'u taflu ar y llawr fel pe bai corwynt newydd ruthro drwy'r adeilad. Roedd y llyfrgellwyr wedi cael llond bola'n ailosod y llyfrau o ganlyniad i un o 'ddamweiniau anffodus' Poli.

Cafodd Poli ei gwahardd o ffreutur yr ysgol hefyd. Yn ystod cinio Nadolig y flwyddyn gynt, cynigiodd, yn garedig iawn, i fwyta sbrowts ei chyd-ddisgyblion. Roedd Poli'n dwli ar y parseli bach gwyrdd ac roedd y plant yn ddiolchgar iawn ar y pryd. Yn anffodus, trodd y gymwynas yn hunllef ddrewllyd. Anghofiodd Poli fod sbrowts yn gwneud iddi beswch pen-ôl! Dechreuodd ei

bola gorddi'n swnllyd gan chwyddo fel balŵn o dan ei ffrog laes nes bod diferion chwyslyd yn llifo i lawr ei hwyneb tlws. Erbyn i'r pwdinau Nadolig lanio ar y byrddau doedd Poli ddim yn gallu cynnal y straen ddim mwy, a bu raid iddi ryddhau'r pesychiad pen-ôl mwyaf swnllyd a fu yn hanes pesychiadau o'r fath! Cafodd y plant, yr athrawon, y cogyddion a'r pwdinau eu taflu o gwmpas y lle fel clytiau llestri! Gorfu i'r ysgol gau'r ffreutur am fis cyfan er mwyn glanhau a chael gwared ar y drewdod. Wedi'r digwyddiad anffodus hwnnw, gofynnwyd i Poli ddod â'i bocs bwyd ei hun ar gyfer ei chinio bob dydd a'i fwyta'n ddigon pell o'r ffreutur, rhag ofn!

Roedd muriau'r pwll nofio'n atseinio erbyn hyn wrth i leisiau'r plant lafarganu enwau eu timau. Gwthiodd Poli ei hatgofion annymunol i gefn ei meddwl a dechrau meddwl am y ras oedd ganddi i'w nofio. Roedd dau aelod o'i thîm hi, Llys Llipa, eisoes wedi cwblhau eu cymalau nhw o'r ras. Dim ond trwch blewyn oedd ynddi. Rholiai stumog Poli'n wyllt a dechreuodd ei choesau grynu. Roedd ei nerfau'n dechrau cael y gorau arni. Dechreuodd gael pwl o banig! Beth ddigwyddai pe bai hi'n cael pesychiad pen-ôl yr eiliad honno? Wedi'r cyfan, y rhai nerfus oedd y rhai mwyaf swnllyd a'r rhai mwyaf dinistriol. Ysai Poli am ei thro hi. O leiaf byddai dŵr y pwll nofio'n boddi sŵn y pesychiad, tybiodd yn ofnus.

Caeodd ei llygaid gwinau ac anadlu'n ddwfn. Yn anffodus, chafodd y weithred 'mo'r effaith roedd hi wedi'i ddymuno. Byrlymai ei stumog yn uchel wrth i bwysau'r nerfau ddechrau gwasgu'n boenus arni. Gwyddai fod pesychiad pen-ôl anferthol ar fin taranu'n swnllyd allan ohoni! Dawsiai'n drafferthus o un goes i'r llall er mwyn trio lleddfu'r pwysau, ond cynyddu wnaeth y straen. Daeth y nofwyr yn nes ac yn nes ac o'r diwedd plymiodd Poli fel torpido i mewn i'r dŵr. Golchodd ton o ryddhad drosti wrth iddi lithro'n esmwyth o dan wyneb y pwll nofio.

Gwthiodd Poli ei dwylo a'i breichiau'n ddiolchgar o'i blaen a dechreuodd godi'n osgeiddig i wyneb y dŵr. Roedd hi rywsut wedi llwyddo i osgoi sefyllfa drychinebus a throdd ei meddwl at ennill y ras. Yna'n ddirybudd,

'BWWWWM!'

Tasgodd y dŵr yn wyllt i bob cyfeiriad allan o'r pwll. Gallai Poli deimlo ei hun yn disgyn a phan agorodd ei llygaid, gallai

weld bod y dŵr wedi casglu'r plant a'r athrawon i'w fynwes! Yr eiliad y trawodd pen-ôl Poli yn erbyn y llawr caled, ffrwydrodd pesychiad anferthol arall allan ohoni. Taflwyd y dŵr, y plant a'r athrawon i fyny i'r awyr unwaith yn rhagor cyn i bawb gael eu poeri allan yn ddiseremoni yn ôl i mewn i'r pwll sgwâr.

Wedi i'r dŵr ail-lenwi'r pwll nofiodd Poli'n araf i fyny i'r wyneb. Edrychodd yn chwithig ar wynebau'r disgyblion a'r athrawon oedd yn bobio'n syn o'i chwmpas.

'Poli! Edrych ar beth rwyt ti wedi 'neud,' dwrdiodd llais dwfn y tu ôl iddi. Trodd hithau a gweld Mr Oifad yn rhythu'n grac arni yn ei siwt wlyb.

'Mae'n ddrwg calon 'da fi, syr,' meddai hithau'n gwrtais.

'Mas o 'ma, nawr!' bloeddiodd yr athro cyn iddo lyncu llond ceg o ddŵr a phesychu'n uchel dros grŵp o ddisgyblion.

Nofiodd Poli tuag at ochr y pwll. Roedd cymaint o gywilydd arni nes rhedeg allan o'r adeilad yn ei gwisg nofio, gan anghofio'n llwyr am ei dillad yn yr ystafell newid. Am ddiwrnod trychinebus, meddyliodd yn drist. Ond er gwaetha'r holl helynt, megis dechrau oedd ei phroblemau oherwydd roedd rhywbeth, neu rywun, llawer gwaeth i ddod!

Pennod 7

Eisteddodd Poli Peswch Pen-ôl yn yr ardd gefn ar lan Llyn Llaeth i sychu'i gwallt gyda thywel. Ebychodd yn drist wrth gofio am yr helynt yn y pwll nofio rai oriau ynghynt. Byddai ei nain yn siŵr o roi stŵr iddi am yr holl halibalŵ yn y pwll nofio ond gwyddai y byddai ei thaid yn ei chysuro wedi iddi gyrraedd gartref.

Diolchodd Poli ei bod hi'n ddydd Gwener. O leiaf byddai'n gallu osgoi gwatwar ei chyd-ddisgyblion am gwpwl o ddiwrnodau! Syllodd ar y llyn yn ymestyn fel drych o'r ardd tua'r bryniau yn y pellter. Roedd hi wrth ei bodd yn edrych ar yr olygfa hyfryd tu allan i'w thŷ. Cofiodd am ei nain yn adrodd straeon am y llyn pan oedd hi'n fach. Ei ffefryn oedd yr un am gawr mawr, creulon, aeth ati i wagio Llyn Llaeth er mwyn creu hufen iâ. Byddai'r cawr yn gorfodi trigolion y fro i weithio'n galed er mwyn iddo yntau allu bwyta'i hoff fwyd, heb fecso taten am neb arall. Diolch i'r drefn nad oedd cewri creulon yn bodoli go iawn, meddyliodd Poli'n fodlon!

Syllodd ar ei horiawr. Roedd hi'n chwech o'r gloch a doedd dim sôn am ei nain a'i thaid yn unman. Fel arfer, byddai'r ddau'n disgwyl amdani erbyn iddi gyrraedd 'nôl o'r ysgol ac wedi paratoi te blasus iddi hefyd. Ond heddiw, am ryw reswm, doedd dim golwg o'r ddau. Doedd dim amdani felly ond paratoi'i the ei hun. Dim ond un peth fyddai'n ei chysuro heno, sef hufen iâ!

Yn sydyn, hedfanodd tair gwylan swnllyd heibio gan godi ofn arni. Doedd Poli erioed wedi gweld gwylanod ger y llyn o'r blaen! Yna'n sydyn, ymddangosodd crychau bychain ar wyneb dŵr y llyn. Aeth y crychau bach yn grychau mawr a'r crychau mawr yn donnau uchel, a chlywodd Poli sŵn taranau wrth i'r ddaear grynu o dan ei thraed. Tywyllodd yr awyr ac wrth i Poli edrych i fyny gallai weld beth edrychai fel cawr enfawr yn rhythu arni! Syllodd yn syn arno. Na, nid dychmygu roedd hi! Cawr oedd yno! Edrychai fel orangwtang anferth gyda'i wallt hir a'i farf sinsir. Gwisgai ddillad carpiog ac roedd tyllau fel ogofâu yn ei esgidiau lledr.

‘WAAAAAAAA!’ sgrechiodd Poli’n uchel wrth i Beli Bola Mawr ei chipio’n sydyn yn ei law fawr. Caeodd ei fysedd tewion yn ofalus amdani. Os oedd hi’n dywyll yng nghysgod y cawr roedd hi’n dywyllach fyth ei law. Dechreuodd hithau chwysu wrth i don o banig gydio ynddi. Ysai am weld yr haul ac anadlu awyr iach unwaith eto wrth iddi eistedd yn llonydd yn y tywyllwch llethol.

Yna’n ddirybudd, cafodd Poli ei thaflu o gwmpas fel dis yng nghledr chwyslyd y cawr. Mae’n rhaid ei fod e’n estyn am rywbeth, meddyliodd hithau’n ofnus. ‘A wnewch chi fy rhyddhau, i os gwelwch chi fod yn dda?’ holodd Poli’n gwrtais wrth daro'i llaw fach, eiddil yn erbyn bysedd Beli. Dechreuodd ei stumog gorddi'n union fel y gwnaeth cyn ei ras yn y pwll nofio yn gynharach y prynhawn hwnnw. Roedd y tensiwn annymunol yn dechrau cael y gorau ohoni a cheisiodd anadlu'n ddwfn er mwyn tawelu'r nerfau. Gwyddai Poli ei bod hi ar fin gwneud pesychiad pen-ôl pwerus iawn! A dyna ddigwyddodd. Rhuodd y gwynt allan ohoni ac aeth popeth yn hollol llonydd. Yna, llifodd pelydrau o olau rhwng y bysedd anferthol wrth i'r cawr agor ei law a syllu arni.

'Beth wyt ti'n neud?' holodd yntau. Edrychai Poli fel doli fach yn ei ffrog ffrils, ei llygaid gleision a'i gwallt golau yng nghledr fawr y cawr. Ond fedrai hi ddim yngan gair. Yr unig sŵn ddaeth allan ohoni oedd pesychiad pen-ôl arall! Syllodd Beli'n syn ar y ferch wrth i wynt y pesychiad lenwi ei ffroenau blewog.

'Ych a fi! Am ddrewdod!' bloeddiodd Beli.

Gwridodd Poli a chrymu ei phen yn isel.

'Drewdod bendigedig!' rhuodd Beli drachefn. 'Fedra i ddefnyddio dy wynt drewllyd di, ferch annwyl, ar gyfer hufen iâ blas peswch pen-ôl, pupur a phinafal! Fy hufen afiach arbennig i!'

Roedd y syniad o fwyta hufen iâ blas peswch pen-ôl, pupur a phinafal yn codi cyfog ar Poli. Corddodd ei stumog unwaith yn rhagor wrth feddwl am y cymysgedd ffiaidd. Sylweddolodd yr eiliad honno y byddai'r cawr yn ei gorfodi i dorri gwynt o fore gwyn tan nos! Doedd dim amdani – roedd angen iddi ffoi ar unwaith. Caeodd ei llygaid a chanolbwyntio. Dechreuodd neidio i fyny ac i lawr er mwyn corddi dyfroedd ei bola.

'Beth wyt ti'n neud, ferch?' holodd Beli.

'Paratoi i adael,' atebodd Poli.

'Gadael? Rwyt ti ar fin cael dod gyda fi i fy ogof yng nghrombil y Mynydd Menyn. Mae gen i waith i ti!' chwyrnodd Beli cyn chwerthin yn greulon.

Teimlodd Poli'r pwysau'n cynyddu. Roedd pesychiad pen-ôl aruthrol yn y post! 'Diolch yn fawr am y cynnig ond byddai'n well gen i beidio,' atebodd Poli'n eithriadol o gwrtais.

'BWWWWWWM!'

Ar unwaith, saethodd Poli i fyny'r awyr fel roced. Roedd nerth y pesychiad pen-ôl mor bwerus nes chwythu Beli oddi ar ei draed a'i daflu i ddŵr rhynllyd y llyn! Wrth iddo ddisgyn, syrthiodd dwy lorri laeth o'i bocedi a haid o wartheg o'i fag

plastig. Dechreuodd y creaduriaid nofio tuag at y lan er mwyn ffoi rhag crafangau creulon y cawr. Tasgodd yntau ar ei draed gan sgwpio'r cerbydau a'r gwartheg at ei gilydd yn frysiog a'u dychwelyd i'w fag unwaith yn rhagor. Diolchodd yn ddistaw ei fod wedi glanio yn y dŵr bas ac yntau'n methu nofio! Edrychodd o'i gwmpas am y ferch fach yn y ffrog ffrils, ond doedd dim golwg ohoni'n unman. Roedd hi wedi diflannu fel pwff o wynt i ganol y cymylau.

Pennod 8

Safai Seimon Smwt yn freuddwydiol ar faes chwarae Tre Tusw. Roedd angen iddo ganolbwyntio ar y gêm bêl-droed oedd yn digwydd o'i gwmpas, ond roedd e'n rhy brysur yn pigo'i drwyn i wneud hynny! Doedd dim byd yn rhoi mwy o bleser iddo na gwthio'i fys i fyny un o'i ffroenau a thwrio'n awchus am fôgi swmpus. Byddai ei fam yn ei ddwrdio'n ddyddiol, 'Mi fydd dy fys di'n mynd yn sownd lan fan'na rhyw ddiwrnod!' A'i dad yn chwyrnu yr un mor llym: 'Tyn dy fys mas o dy drwyn, y mochyn!' Ond doedd dim ots gyda Seimon. Roedd e'n mwynhau'r weithred ormod.

Rholiodd belen gron arall rhwng ei fys a'i fawd a'i fflicio i ffwrdd yn ddifeddwl. Roedd y gêm yn ei ddiflasu'n llwyr. Doedd e heb dderbyn pás ers peth amser felly doedd dim amdani ond ddiddanu'i hun drwy bigo a fflicio am yn ail. Yn sydyn,

disgynnodd rhywbeth yn swrth ger ei draed. Trodd ei ben gan sylwi ar wylan yn fflapio'n drafferthus o'i flaen.

'Help! Help! Help! Dwi'n sownd,' bloeddiodd yr aderyn.

Yr eiliad nesa glaniodd dwy wylan arall wrth ymyl y gyntaf.

'Beth sy'n bod arnat ti, Bob?' holodd un o'r adar yn uchel ei gloch.

'Wel, dim syniad, Beti,' atebodd Bob yn ddryslyd. 'Un eiliad ro'n i'n hedfan yn hapus gyda Barbra a tithe, a'r eiliad nesa ges i'n llusgo i lawr i'r fan hyn!'

‘Beth yw’r belen seimllyd ’na sydd o gwmpas dy draed di,’ holodd Barbra’n syn.

‘Aaaaaaa! Beti! Barbra! Tynnwch y stecs i ffwrdd, wnewch chi?’ llefodd Bob yn ddiamynedd.

Gwyliodd Seimon y gwylanod yn straffaglu ymysg ei gilydd cyn sylweddoli mai pelen o smwt o’i drwyn e oedd wedi lapio’i hun o gwmpas traed yr aderyn. Dechreuodd deimlo ychydig bach yn euog wrth wrando ar gwynion truenus Bob tra bod Beti a Barbra’n ei siarsio i aros yn llonydd. Cydiodd yn ei botel ddŵr a cherddodd draw at y tri aderyn.

‘Galla i helpu,’ meddai Seimon wrth fynd ati i dynnu’r smwt i ffwrdd gyda’i fysedd cyn golchi traed Bob gyda’r dŵr o’i botel.

Syllodd yr adar yn syn ar y bachgen tal.

‘O, diolch i ti,’ meddai Bob wrth ysgwyd ei goesau ar y borfa.

‘Croeso,’ atebodd Seimon pan sylwodd fod ei botel ddŵr yn wag. ‘Mae’n well i fi lenwi’r botel ’ma unwaith yn rhagor,’ nododd cyn ailddechrau pigo’i drwyn a fflicio’i fysedd.

‘Dy fai di yw hyn,’ cyhuddodd Beti Seimon. ‘Fe wnest ti fflicio smwt dy drwyn i fyny i’r awyr ac aeth e’n sownd yn nhraed Bob wrth iddo hedfan heibio!’

'Mae'n ddrwg 'da fi,' ymddiheurodd Seimon.

'Nid Bob yw'r unig un sydd wedi diodde o ganlyniad i dy bigo a dy fflicio di! Edrych,' meddai Barbra wrth estyn ei hadenydd ar draws y maes chwarae.

Rhewodd Seimon yn ei unfan pan welodd fod ei gyd-chwaraewyr wedi'u gorchuddio o dan drwch o'i smwt trwyn. Edrychai'r plant fel delwau mewn amgueddfa. Roedd pob plentyn wedi'i rewi mewn ystum gwahanol – rhai'n rhedeg, rhai'n sefyll yn stond ac eraill â'u dwylo i fyny fel petaen nhw'n gweiddi am y bêl.

'Bydd angen mwy na photel ddŵr arnat ti os wyt ti am ryddhau pawb,' nododd Bob.

Ysgydwodd Seimon Smwt ei ben yn drist.

'Paid â digalonni,' meddai Bob yn ysgafn. 'Wyt ti eisiau clywed jôc?' gofynnodd yn gyffro i gyd heb ddisgwyl am ateb wrth Seimon. 'Pam wnaeth y dyn gydio yn ei drwyn?'

'Dw i ddim yn gwybod,' atebodd Seimon yn benisel.

'Am fod ei drwyn e'n rhedeg!' bloeddiodd Bob drachefn.

Chwerthin yn uchel wnaeth y gwylanod o glywed Bob yn adrodd jôc arall: 'Pam wnaeth y trwyn redeg i ffwrdd?'

'Dim syniad,' meddai Barbra.

'Am fod rhywun yn pigo arno fe!' sgrechiodd Bob.

Chwarddodd y gwylanod yn uwch fyth y tro hwn gan rolio o gwmpas ar borfa'r maes chwarae. Syllodd Seimon yn drist ar yr adar a throi ar ei sawdl i adael.

'Ble wyt ti'n mynd?' holodd Bob Seimon.

'Adre. Does gen i neb i chwarae gyda nawr, a ta beth, bydd fy ffrindiau'n fy nghasáu i ar ôl hyn.'

Syllodd y gwylanod ar ei gilydd cyn ffit-ffatian draw tuag ato.

'Gwranda, fe nawn ni helpu i ryddhau dy ffrindiau,' meddai Bob.

'Bydd rhaid i ni frysio felly oherwydd bydd y cawr ar ei ffordd yma erbyn hyn,' siarsiodd Barbra.

'Ie, ti'n iawn,' meddai Beti.

Syllodd Seimon yn syn ar y gwylanod. 'Cawr? Dyw cewri ddim yn bodoli!'

Yr eiliad nesa, teimlodd pawb y ddaear yn ysgwyd a daeth sŵn tebyg i ruo taranau o gyfeiriad y mynyddoedd. Fflapiodd y gwylanod eu hadenydd yn wyllt gan daro yn erbyn ei gilydd mewn panig.

'Mae'n dod!' gwaeddodd Bob.

‘Fydd e ’ma unrhyw eiliad!’ gwichiodd Barbra’n uwch.

‘Dewch o ’ma, glou!’ sgrechiodd Beti cyn i’r gwylanod hedfan i ffwrdd yn ffwdanus.

Crafodd Seimon ei wallt pigog gydag un llaw wrth bigo’i drwyn â bys ei law arall. ‘Beth am fy ffrindiau?’ gwaeddodd Seimon wrth wylio’i gyfeillion pluog newydd yn diflannu tua’r gorwel. ‘Cawr yn Nhre Tusw? Am ddwli,’ ochneidiodd wrth i dywyllwch ddisgyn yn sydyn ar draws y maes chwarae. Edrychodd i fyny â’i lygaid tywyll. Doedd dim golwg o’r haul a’r awyr las yn unman a’r unig beth allai ei weld oedd wyneb cawr mawr, ffyrnig yr olwg yn rhythu arno. Roedd y gwylanod yn iawn wedi’r cyfan, meddyliodd Seimon yn llawn braw!

Pennod 9

Crynai bys Seimon Smwt wrth iddo bigo'i drwyn yn ofnus dan gysgod tywyll y cawr. Mentrodd gip i fyny a gweld rhes o ddannedd pwdr yn ymddangos trwy wên filain a barf sinsir flewog. Roedd y dannedd yn frown ac yn felyn am yn ail a gallai Seimon weld smotiau duon ar ambell un hefyd. Doedden nhw ddim wedi gweld brwsh na phast dannedd ers tro byd, synhwyrodd yntau.

Yn sydyn, crymodd y cawr ei ben a dod wyneb yn wyneb â Seimon Smwt. Gwthiodd y bachgen fys i'w ffroen arall er mwyn atal ei hun rhag gallu arogli anadl ddrewllyd y cawr.

'Ych a fi! Dyna beth yw arfer mochynnaidd,' dwrdiodd Beli Seimon. 'Tyn dy fysedd o dy drwyn, grwt!'

'Golchwch chithau'ch dannedd,' dwrdiodd Seimon yntau, gan swnio fel robot ag annwyd. 'Mae'ch anadl chi'n drewi!'

‘Paid ti â siarad fel ’na gyda fi! Fi yw Beli Bola Mawr!’

‘Pwy?’

‘Beli Bola Mawr – Brenin Cwm Cwstard!’

Syllodd Seimon yn ddryslyd arno.

‘Arweinydd enwocaf a ffyrnicaf y fro!’ ychwanegodd Beli’n fawreddog.

Ysgydwodd Seimon ei ben er mwyn dangos nad oedd wedi clywed am y cawr o’r blaen.

‘Crëwr yr hufen afiach?’ ychwanegodd Beli’n anobeithiol.

Tynnodd Seimon ei fysedd allan o’i drwyn wrth i’r cawr godi o’i gwrcwd. ‘Dwi erioed wedi clywed amdanat ti o’r blaen,’ meddai’n ddidaro gan rolio dwy belen sylweddol o smwt rhwng ei fysedd. Roedd Beli ar fin rhuo’n ffyrnig pan welodd Seimon yn fflicio’r peli gludiog tuag ato. Daliodd y cawr y peli yn ei ddwylo blewog gan syllu’n awchus arnyn nhw. Dychwelodd y wên faleisus unwaith yn rhagor.

‘Beth yw dy enw di, grwt?’ holodd Beli’n sebonllyd.

‘Y ... y ... Seimon,’ atebodd, ‘ond mae pawb yn fy ngalw i’n Seimon Smwt.’

‘Seimon Smwt,’ meddai Beli fel petai’n medru blasu’r enw ar

ei dafod. 'Gwed wrtha i Seimon, faint o'r peli hyfryd yma fedru di eu cynhyrchu mewn diwrnod?' holodd wrth syllu ar ddelwau gludiog y maes chwarae.

'Dim syniad,' atebodd Seimon. Doedd neb wedi dangos diddordeb yn ei beli trwyn o'r blaen.

'Beth am i ti ddod i weithio i fi yng nghrombil y Mynydd Menyn? Mae gen i ddefnydd ar gyfer dy gynnyrch ... unigryw di!' Llyfodd y cawr ei wefusau'n awchus. 'Galla i flasu'r cyfan nawr – hufen afiach blas siocled, sinsir a smwt! Bendigedig!'

Roedd Beli'n glafoerio wrth feddwl am ei rysáit ddiweddaraf ond roedd Seimon yn ysu am gael dianc. Roedd y cawr yn codi ofn arno a doedd dim diddordeb ganddo ymweld â chrombil y Mynydd Menyn chwaith!

'D-d-diolch yn fawr am eich cynnig hael ond dwi'n credu ei bod hi'n well i mi fynd nawr. Bydd Mam yn dechrau poeni ble rydw i,' meddai Seimon gan drio camu i ffwrdd yn araf.

Sylwodd Beli fod Seimon ar fin gadael a ffrwydrodd ei dymer! Trawodd ei droed yn ffyrnig gan wneud i'r ddaear grynu'n sydyn. 'Aros yn llonydd!' bloeddiodd yn groch.

Rhewodd Seimon yn stond.

Dychwelodd y wên echrydus ar wyneb Beli. 'Ho, ho! Paid ti â phoeni am dy fam. Fydd hi a thrigolion Tre Tusw'n gweithio i fi o fewn y dyddiau nesa 'ma, gei di weld!' Chwarddodd Beli'n fyddarol wrth i'w fola sylweddol grynu fel jeli enfawr o dan ei grys budr.

Tynnodd Seimon ddwy belen smwt fawr allan o'i drwyn a'u rholio'n dawel yn ei ddwylo. Ffliciodd y gyntaf tuag at wyneb y cawr a'r llall i lawr tuag at ei draed. Trodd Beli ei olygon yn ôl ar Seimon wrth i'r belen gyntaf ffrwydro rhwng ei lygaid gleision. Simsanodd am eiliad wrth glirio'r mochyndra o'i wyneb.

'Dyna ddigon, Seimon Smwt!' chwyrnodd yn grac wrth gamu'n lletchwith ar yr ail belen o dan ei draed. Llithrodd arni a disgyn yn swnllyd ar y borfa, nes bod popeth o'i gwmpas yn crynu i gyd.

'AAAAWWWWW!' sgrechiodd Beli'n uchel wrth orwedd yn boenus ar ei gefn.

Yn sydyn, sylwodd Seimon ar beiriannau a gweithwyr mewn dillad trwm yn tasgu allan o fag y cawr oedd wedi disgyn wrth ei ochr ar lawr. Bachodd y bachgen ar ei gyfle i ddianc gan frasgamu fel ysgyfarnog o'r maes chwarae.

'Dere 'nôl fan hyn, Seimon Smwt!' rhuodd Beli Bola Mawr wrth gasglu'r peiriannau a'r gweithwyr ynghyd unwaith eto cyn eu taflu i mewn i'w fag plastig. Ond doedd dim sôn am Seimon Smwt yn unman. Rywsut, roedd e wedi llwyddo i osgoi crafangau creulon y cawr!

Pennod 10

Llifai'r dagrau fel rhaeadr i lawr bochau llwyd Sali Seimllyd wrth iddi eistedd ar foncyff ar sgwâr y Groeslon. Roedd ei bywyd wedi troi'n hunllef ers iddi lithro o afael Beli Bola Mawr y prynhawn cynt. Doedd dim golwg o'i rhieni'n unman ac roedd trigolion Tre Saim wedi diflannu hefyd!

Sychodd ei dagrau â llawes ei siwmper lwyd. Doedd hi erioed wedi teimlo mor unig â hyn o'r blaen. Yn sydyn, clywodd gri gwylan uwch ei phen. Gallai dyngu bod yr aderyn yn siarad wrth hedfan tuag ati. Yna gwelodd fachgen crwn â mop o wallt cyrliog, tywyll yn nesáu ar hyd yr heol o gyfeiriad y dwyrain. Edrychai'r bachgen fel pe bai'n adrodd stori gyffrous wrth yr aderyn gan chwifio'i ddwylo o gwmpas yn ddramatig.

Yr eiliad nesa, gwelodd Sali ferch fach, brydferth yn cerdded

ar hyd yr heol o gyfeiriad y gorllewin. Gwisgai rubanau cochion yn ei gwallt cyrliog, euraid a ffrog ffriliau gwyn. Edrychai'r ferch fel dol, meddyliodd Sali. Roedd gwylan swnllyd yn hedfan uwch ei phen hithau hefyd.

Os nad oedd hynny'n ddigon o sioe, trodd Sali ei golygon tuag at heol y gogledd gan sylwi ar fachgen tal â gwallt pigog yn cerdded tuag at y sgwâr yng nghwmni gwylan arall! Gwisgai ddillad chwaraeon ac roedd wrthi'n pigo'i drwyn yn frwdfrydig ac yn fflicio pelenni gludiog i ffwrdd â'i fysedd.

Cofiodd Sali'n sydyn iddi weld tair gwylan yn eistedd ar wal yr ysgol yn ystod y gêm rownderi. 'Does bosib mai rhain oedd yr un gwylanod oedd yn hedfan tuag ati'r eiliad honno,' ystyriodd

wrth godi. Sylwodd fod pwll seimllyd wedi cronni o gwmpas ei thraed a chamu allan ohono'n ofalus.

'Pwy y'ch chi ac o ble ry'ch chi wedi dod?' holodd Sali.

Syllodd y tri phlentyn arni ac yna ar ei gilydd yn syn.

'Wili ydw i, ond mae pawb yn fy ngalw i'n Wili Silibili achos 'mod i'n dwlu creu storïau sili,' meddai'r bachgen crwn gan wenu'n ddrygionus. 'Dwi'n dod o Dre Cleber a dwi'n chwilio am fy nheulu a gweddill pobol y dre. Does gen i ddim syniad ble aeth pawb.'

'Poli ydw i a dwi'n byw wrth Lyn Llaeth uwchlaw Pentre Pwps. Mae pawb yn fy ngalw i'n Poli Peswch Pen-ôl,' meddai'r ferch fach yn swil cyn torri gwynt dros y lle yn swnllyd. 'Mae Nain a Taid wedi diflannu a dwi ddim yn medru dod o hyd iddyn nhw.'

'Shw'mae pawb? Dwi'n dod o Dre Tusw,' meddai'r bachgen tal yn y dillad chwaraeon, 'ac fel chithe, dwi'n chwilio am fy nheulu ac am bobol y dre.'

'Beth yw dy enw di?' holodd Sali'r bachgen.

'Seimon ... neu Seimon Smwt i fy ffrindiau,' atebodd yntau gan bigo'i drwyn.

‘Pam fod dy ffrindiau di’n dy alw di’n Seimon Smwt?’ holodd Poli.

‘Dwi’n credu fod hynny’n weddol amlwg!’ nododd Wili’n ddireidus wrth edrych ar Seimon yn fflicio cynnwys ei drwyn ar y borfa. Trodd ei olygon at Sali. ‘Pwy wyt ti, ’te?’

‘Sali Seimllyd ydw i a dwi’n dod o Dre Saim,’ atebodd hithau.

Syllodd Wili, Poli a Seimon ar y diferion seimllyd yn disgyn oddi ar wallt hir Sali. Roedd pwll arall yn prysur ffurfio wrth waelod ei thraed. Camodd hithau’n chwithig allan o’r pwll am yr eildro o fewn ychydig funudau. Doedd dim angen i’r tri ofyn sut cafodd hi’r enw!

‘Pryd oedd y tro diwetha i chi’ch tri weld eich ffrindiau a’ch teulu?’ holodd Sali.

Aeth pawb ati yn eu tro, i olrhain hanes eu cyfarfod dychrynllyd gyda Beli Bola Mawr, a’r wybodaeth ddychrynllyd am ei gynlluniau anhygoel i’w defnyddio nhw i wneud ei hufen afiach. Toc wedi hynny, dyna pryd ddarganfyddon nhw fod eu ffrindiau, eu cymdogion a’u teuluoedd wedi diflannu.

‘Wrth gwrs! Mae’n amlwg fod Beli wedi cipio pawb a’u carcharu ym mola’r Mynydd Menyn,’ meddai Sali.

'O! Mae angen i rywun ddysgu gwers i'r llabwst mawr 'na,' nododd Seimon Smwt yn grac.

'Ti'n iawn, a ni yw'r union bobol all wneud hynny,' ychwanegodd Wili'n frwd.

'Ond ... beth fedrwn ni neud yn erbyn cawr ... mawr ... ffyrnig fel ... Beli Bola Mawr?' holodd Poli, bron yn methu â chael ei geiriau allan yn iawn.

Stompiodd Sali ei thraed yn gadarn mewn pwll bach arall oedd wedi dechrau ffurfio wrth ei thraed. 'Ry'n ni wedi ffoi o'i grafangau creulon unwaith, a gallwn ni ddefnyddio'n talentau unigryw i'w drechu eto. Beth amdani, bawb?'

'Dw *i*'n barod i helpu!' bloeddiodd Wili.

'A finnau,' meddai Seimon, yn dal i bigo'i drwyn.

'O, wel, os oes *rhaid*,' cytunodd Poli'n betrusgar wrth dorri gwynt yn swnllyd.

'Gwrandewch! Ni yw'r Pedwarawd Pwerus ac fe allwn ni achub trigolion Cwm Cwstard o ogof Beli Bola Mawr!' bloeddiodd Sali.

'HWRÊ! Y Pedwar Pwerus amdani' gwaeddodd Wili a Seimon.

‘Dwi ddim eisiau taflu dŵr oer ar dy syniad, Sali, ond wyt ti’n gwybod ble’n union mae’r Mynydd Menyn ac ogof Beli?’ holodd Poli.

Syllodd Sali’n hurt ar y ferch fach o’i blaen hi. Roedd Poli’n iawn. Doedd dim syniad ganddi! Ysgydwodd ei phen yn araf, a’r diferion seimllyd yn tasgu o’i chwmpas.

‘Peidiwch â phoeni, ry’n ni’n gwybod y ffordd!’ cyhoeddodd Beti’r wylan yn fawreddog.

‘Ond cyn i ni ddechrau ar ein taith, beth am jôc fach?’ sgrechiodd Bob yn frwdfrydig.

‘Jôc! Jôc!’ bloeddiodd y ddwy wylan arall yn gyffrous.

‘Cnoc, Cnoc,’ gwaeddodd Bob.

‘Pwy sy ’na?’ holodd Beti a Barbra.

‘Oesna?’

‘Oesna pwy?’

‘Oes ’na gawr yn y cyffiniau?’ sgrechiodd Bob wrth i Beti a Barbra chwerthin yn uchel.

Syllodd y pedwar plentyn ar y gwylanod cyn ysgwyd eu pennau’n syn.

‘Reit, bawb, dilynwch ni,’ cyhoeddodd Beti’n bwysig cyn

hedfan i fyny i'r awyr yng nghwmni Barbra a Bob.

Dilynodd y Pedwarawd Pwerus y gwylanod ar frys. Roedd taith hir o'u blaenau a theimlai'r cwmni'n nerfus wrth ddechrau ar eu cyrch peryglus. Serch hynny, roedd y criw'n benderfynol o lwyddo ac yn barod i wynebu Beli Bola Mawr unwaith eto.

Pennod 11

Rhedodd y Pedwarawd Pwerus yn frysiog drwy Gwm Cwstard wrth i'r gwylanod hedfan uwch eu pennau. Doedd yna'r un enaid byw i'w weld ar y strydoedd, yn y siopau nac yn y caeau. Roedd y llonyddwch llethol yn codi ofn ar bawb.

Roedd Sali'n dilyn trywydd y gwylanod tra bod y tri arall yn cadw llygad barcud am Beli Bola Mawr. Llamodd y pedwar heibio olion traed y cawr. Roedden nhw'n ddwfn fel ceudyllau a bu bron iddyn nhw ddisgyn i mewn iddyn nhw ar fwy nag un achlysur.

Roedd yr haul yn dechrau machlud erbyn i'r cwmni gyrraedd mynedfa'r ogof.

'Dyma chi, gyfeillion,' meddai Beti'n groch.

'Diolch yn fawr am eich help,' gwaeddodd Sali.

'Croeso,' atebodd Barbra.

'Pob lwc,' ychwanegodd Bob.

Gwyliodd y plant y gwylanod yn hedfan i ffwrdd tua'r gorwel. Byddai pob un ohonyn nhw wedi rhoi'r byd i gael newid lle gyda'r gwylanod yr eiliad honno.

'Beth wnawn ni nawr?' holodd Seimon wrth bigo'i drwyn yn nerfus.

'Mae angen i ni ddod o hyd i Beli, tynnu'i sylw a rhyddhau trigolion Cwm Cwstard,' meddai Sali'n bendant.

'A sut ar wyneb y ddaear ry'n ni'n mynd i neud hynny?' holodd Poli'n bryderus wrth dorri gwynt yn swnllyd drwy ei ffrog ffriliog.

'Beth am i fi drio tynnu sylw Beli? Dyw e ddim yn gwybod pwy ydw i a galla i adrodd straeon digri wrtho fe,' awgrymodd Wili wrth wenu'n ddrygionus.

'Syniad da,' meddai Sali.

'Beth wnawn ni wedyn?' holodd Seimon.

'Ei baglu hi o 'na cyn gynted â phosib!' meddai Poli.

Cerddodd y pedwar yn dawel drwy'r coridorau troellog. Roedd Seimon wedi bachu fflachlamp o un o siopau'r cwm ar ei ffordd i'r ogof. Taflodd y teclyn olau gwan gan greu cysgodion brawychus ar y waliau caregog gan godi ofn ar bawb. Aeth y cwmni'n ddyfnach ac yn ddyfnach i mewn i'r ogof, yna'n sydyn diffoddodd y fflachlamp.

'O na! Mae'n rhaid bod y batris yn fflat!' cwynodd Seimon yn dawel.

'Oes gen ti ragor?' sibrydodd Sali.

'Nac oes!'

'Beth wnawn ni nawr?' holodd Poli.

'Rhowch funud i fi gael meddwl,' meddai Sali wrth redeg ei bysedd drwy ei gwallt seimllyd.

Safai'r pedwar yn stond yn y tywyllwch. Gwrandawodd y cwmni ar y dŵr yn disgyn o'r nenfwd gan lanio ar y llawr fel hen dap yn dripian mewn ystafell ymolchi. Chwythai'r awel ysgafn ar hyd y coridor myglyd gan wneud i bawb ochneidio mewn rhyddhad. Yna llifodd arogl hen wyau pwdr i fyny ffroenau'r criw gan godi cyfog ar bawb.

'Poli, wyt ti 'di peswch pen-ôl?' holodd Seimon â'i fysedd wedi eu plannu i fyny'i drwyn.

'Naddo,' atebodd hithau'n flin.

'Hisht! Dwi'n gallu gweld golau!' meddai Sali'n gyffrous.

‘Ble?’ holodd y bechgyn.

‘Yn syth o’ch blaenau!’

‘Ti’n iawn!’ rhyfeddodd Wili. ‘Mae’n edrych fel smotyn bach melyn o’r fan hyn.’

‘Dewch,’ meddai Sali. ‘Pawb i gerdded tuag ato’n dawel.’

Cynyddodd y golau wrth i’r cwmni gerdded yn ofalus tuag ato. Roedd yr arogl drewllyd yn cryfhau hefyd, gwaetha’r modd, a gorchuddiodd y pedwar eu trwynau o dan eu dwylo.

‘Beth yw’r sŵn ’na?’ holodd Poli.

‘Mae’n debyg i sŵn y ffatri lle mae Mam a Dad yn gweithio,’ atebodd Sali wrth gyrraedd mynedfa siambr anferth.

Yna, stopiodd y pedwar yn stond a syllu’n syn ar yr olygfa o’u blaenau. Doedden nhw ddim yn gallu credu eu llygaid. Goleuwyd y safle gan gannoedd o lampau enfawr yn hongian o’r nenfwd uchel. Rhuthrai trigolion Cwm Cwstard fel llygod o gwmpas y lle. Roedd rhai wrthi’n cymysgu hylifau byrlymus mewn tybiau haearn uwchben tanau fflamgoch. Roedd eraill yn arllwys cymysgedd gwahanol i mewn i dyrau tal, a marc ar bob tŵr i ddangos y gwahanol gynhwysion oedd yn cael eu cadw ynddyn nhw.

‘Mafon, mwd a moch?’ ebychodd Wili wrth ddarllen cynnwys un o’r tyrau.

‘Ych a fi!’ crychodd Seimon ei drwyn cyn dechrau teimlo’n sâl.

‘Dwi’n credu mai dyma ffatri hufen afiach Beli,’ mentrodd Sali brandi yn swil.

‘Dwi’n gallu gweld athrawon a phlant ysgol Pentre Pwps draw fan’na!’ meddai Poli’n gyffrous.

‘Dyna Faer Tre Cleber wrth y lorri fawr, felyn!’ rhyfeddodd Wili Silibili.

Mae”r hen Beli wedi cipio’n ffrindiau i yma i gyd hefyd!’ synnodd Seimon.

Gwyliodd Sali ei rhieni’n llwytho cymysgedd lliwgar i gefn cerbyd hir. Roedden nhw’n rhy brysur i sylwi arni’n syllu’n drist arnyn nhw.

Yn sydyn, rhuodd llais cyfarwydd ar draws y safle.

‘Dewch ’mlaen y pydron! Dwi eisiau chwe math gwahanol o hufen afiach yn barod ERBYN BORE FORY! Os wnewch chi fethu â chwblhau ’nymuniad i, fe wna i gynnwys rhai ohonoch chi yn y cymysgedd nesa!’ bloeddiodd Beli Bola Mawr cyn

chwerthin yn greulon.

Eisteddodd y cawr ym mhen pella'r ogof ar hen gadair ledr yn llawn tyllau. Gorweddai degau o bowlenni pren gwag o gwmpas ei draed. Cyn gynted ag y stopiodd y lorri fawr, rhuthrodd clwstwr o drigolion y cwm tuag at y bowlenni gan rofio hufen afiach lliwgar iddyn nhw o gefn y lorri, fesul powlen.

'Reit, Wili, cer i gyflwyno dy hunan i Beli. Poli a Seimon, dewch gyda fi i gasglu pawb at ei gilydd,' gorchmynnodd Sali.

'Pob lwc,' meddai Wili wrth godi ei fys bawd ar bawb.

Gwyliodd y tri eu cyfaill yn diflannu i ganol prysurdeb yr ogof. Byddai angen pob gronyn o lwc arnyn nhw, meddyliodd Sali. Ochneidiodd yn dawel cyn troi at Poli a Seimon. 'Dewch,' meddai wrth wenu'n nerfus. Roedd hi'n amser i'r Pedwarawd Pwerus roi'r cynllun ar waith!

Pennod 12

Chwarddodd Beli Bola Mawr yn uchel yn ei gadair dyllog. Trawodd ei ddwylo yn erbyn ei gliniau gan wneud i'w fola enfawr grynu. Roedd Wili Silibili newydd orffen ei ganfed ac un stori ddwl ers iddo gyrraedd gorsedd y cawr dair awr ynghynt.

'Wili, ti yw'r digrifwr mwyaf digri i mi ei glywed erioed!' chwarddodd Beli dros y lle cyn rhofio llwyaid o'i hufen afiach amheus yr olwg i mewn i'w geg. Yna, trawodd ei droed yn flin yn erbyn y llawr a gwgu'n ffyrnig ar y fyddin o weithwyr ofnus yr olwg islaw iddo. 'Mae angen mwy o wymon ar y cymysgedd!' bloeddiodd ar draws yr ogof.

'Ond mae'r stordy gwymon yn wag,' meddai Owena. Roedd yr octopws wedi'i charcharu mewn tanc gwydr ger gorsedd Beli. 'Bydd rhaid i ti fynd i nôl rhagor.'

'Hy! Rwyt ti'n gwybod yn iawn nad yw hynny'n bosib, y

bwbach wyth coes fel ag wyt ti!' chwyrnodd Beli arni'n fygythiol.

'Pam?' holodd Wili'n chwilfrydig.

'Wel, mae Beli'n casáu'r môr oherwydd ... oherwydd dyw e ddim yn gallu nofio,' atebodd Owena.

'A byddet tithau'n casáu'r môr taset ti wedi treulio canrifoedd o dan ei donnau!' eglurodd Beli'n wyllt wrth Wili. Yna trodd y cawr ei olygon yn ôl at yr octopws gan wenu'n faleisus. 'O! Dwi newydd gael syniad! Beth am i fi dy gynnwys di yn y cymysgedd nesa, fy nghyfaill hallt?'

Crebachodd Owena fel pelen fechan yn ei charchar dyfriog.

'Dere â stori arall i fi, Wili!' gorchmynnodd Beli.

'Beth am i fi ganu cân i chi, eich mawrhydi?' holodd y bachgen, wrth geisio taflu cip slei o gwmpas yr ogof i chwilio am unrhyw arwydd o'i ffrindiau.

'Pam lai,' atebodd Beli'n frwdfrydig wrth eistedd yn ôl yn ei gadair. 'Does neb erioed wedi canu cân i fi o'r blaen.'

Cliriodd Wili ei wddf a dechrau canu hwiangerdd swynol 'Cwsg yn dawel'. Byddai ei fam yn arfer canu'r gân honno iddo pan oedd yn fabi er mwyn trio'i hudo i gysgu, a gobeithiai Wili y byddai'r gân yn cael yr un effaith ar Beli. Dyma'r cyfle gorau fyddai ganddo fe a'i ffrindiau i ryddhau trigolion Cwm Cwstard o afael y cawr mawr cas, meddyliodd. Ymhen dim, dechreuodd amrannau Beli drymhau a chau'n dynn. Ac yntau'n chwyrnu'n braf ar ei orsedd, sleifiodd Wili'n ofalus draw at y tanc dŵr.

'Dere, mae'n amser i ni adael,' sibrydodd yn dawel wrth Owena. 'Brysia!'

Dringodd hithau allan o'r tanc gan lapio'i choesau o gwmpas braich Wili. Rhuthrodd yntau i lawr at grombil yr ogof a thuag at weddill y Pedwarawd Pwerus. Yn unol â'r cynllun, roedd Sali, Poli a Seimon wedi bod wrthi'n dawel bach yn casglu trigolion y cwm at ei gilydd.

'Pwy sydd gen ti'n fan'na, Wili?' holodd Poli.

'O, dyma Owena,' atebodd yntau wrth i'r octopws chwifio un o'i choesau ar y criw. 'Mae hi yma i'n helpu ni.'

'Beth wnawn ni nawr?' holodd Seimon Smwt.

'Wel, Owena ddywedodd nad yw Beli'n medru nofio. A dwi wedi cael syniad. Beth am i ni drio'i ddenu fe i lawr at borthladd Aber Cwstard a'i erlid e 'nôl i waelod y môr?'

'Syniad gwych,' atebodd Sali. 'Wili, beth am i ti arwain pawb allan o'r ogof? Pan fyddan nhw'n gwbl ddiogel ac allan o'r

ffordd, fe wnawn ni ddeffro'r llabwst creulon.'

Nodiodd Wili ei ben yn frwd. 'Dewch bawb, dilynwch fi,' meddai wrth bawb cyn troi ar ei sawdl tua cheg yr ogof.

Eistedd mewn twba anferth yn llawn hufen afiach blas rwden, rwber a riwbob, roedd Beli Bola Mawr, yn breuddwydio'n braf.

'H-h-h-hyfryd,' ebychodd yn gysglyd.

Yn sydyn, teimlodd ei hun yn ysgwyd yn wyllt wrth i arogl drewllyd lenwi'i ffroenau. Agorodd ei lygaid a gweld merch fach mewn ffrog laes yn sefyll yng nghanol yr ogof. Chwifiodd ei llaw arno wrth i'w gwallt cyrliog sboncio o gwmpas ei hwyneb hardd.

Yn sydyn, tasgodd y ferch i fyny i'r awyr wrth i daran swnllyd dasgu o'i phen-ôl. Adnabyddodd Beli hi'n syth. 'Ti yw'r ferch wnaeth ffoi o 'ngafael i ger Llyn Llaeth!' gwylltiodd. Yna, sylwodd fod trigolion Cwm Cwstard wedi diflannu! 'Ble mae pawb?' holodd yn gas wrth i'r ferch fach ruthro i lawr y coridor o'i flaen. 'Dere 'nôl fan hyn,' bloeddiodd yntau gan stryffaglu a thrio brasgamu ar ei hôl hi.

Roedd y llwybr yn dywyll ond rhuthrodd y cawr yn ei flaen gan gyrraedd ceg yr ogof. Fflachiodd yr haul yn ddisglair yn yr awyr a rhwbiodd ei lygaid yn ffyrnig. Edrychodd Beli o'i gwmpas. Doedd dim sôn am y ferch yn unman.

'Hei, Beli, cydia'n hwn!' bloeddiodd bachgen tal wrth i belen smwtiog hedfan tuag ato a ffrwydro ar draws ei wyneb. Teimlodd Beli'r sothach seimllyd yn llithro i lawr ei wyneb a rhuodd yn grac ar y bachgen. 'Ti yw'r crwtyn o'r maes pêl-droed! Fe gei di dalu am hynna, ti'n clywed?'

Diflannodd y bachgen i mewn i'r goedwig gerllaw a rhuthrodd Beli fel corwynt ar ei ôl.

Brasgamodd Beli heibio maes chwarae Tre Tusw, llamu dros Lyn Llaeth a Phentre Pwps, tasgu dros Dre Cleber a chwyrlïo heibio i Dre Saim. Llwyddodd i osgoi peli smwtiog Seimon bob cam o'r ffordd. Gwyddai'n iawn fod y bachgen yn ceisio'i faglu a thybiodd ei fod e'n llawer rhy glyfar i gael ei dwyllo gan y plentyn afiach!

Cyn bo hir, cyrhaeddodd Beli dref Aber Cwstard. Wrth wal yr harbwr, roedd merch welw gyda gwallt hir, seimllyd yn sefyll. Cododd y ferch ei llaw arno wrth iddo yntau stopio'n stond.

'Ti yw'r lodes slic a lithrodd o 'ngafael i yn Nhre Saim,' meddai Beli.

'Beth am i ti drio 'nal i unwaith eto,' heriodd hithau'n hyderus ddigon.

Llamodd Beli'n benderfynol i lawr tuag ati cyn llithro'n sydyn ar y llethr seimllyd. Sylweddolodd ei gamgymeriad yn syth. Roedd y llwybr wedi'i orchuddio gan saim o wallt y ferch. Sglefriodd yn bendramwnwgl o flêr i lawr y llethr a dychryn o sylweddoli ei fod e'n llithro i lawr tuag at y môr. Yr eiliad nesa, fe deimlodd rywbeth yn taro yn erbyn ei gefn a throdd i weld Seimon Smwt yn fflicio peli smwtiog tuag ato. Plannodd Beli ei draed yn gadarn ar y llwybr a dod i stop yn araf. Pan feddyliodd ei fod yn ddiogel rhag gafael y tonnau, dechreuodd chwerthin yn uchel. 'Wnewch chi fyth 'y nghuro i!'

Erbyn hyn, roedd trigolion Cwm Cwstard wedi ymgasglu ar furiau a phalmentydd Aber Cwstard.

'Mae pawb wedi cael llond bol arnat ti, Beli,' meddai Poli. 'Dwi am dy chwythu di 'nôl i waelod y môr,' meddai'r ferch cyn cyfeirio pesychiad pen-ôl pwerus tuag at y cawr.

Ar unwaith, cafodd Beli ei godi oddi ar ei draed a'i hyrddio'n uchel drwy'r awyr. Troellodd ei freichiau fel dwy felin wynt a cheisio cicio'i goesau'n wyllt cyn syrthio'n sblash i'r dŵr. Sblasiodd yn wyllt am rai eiliadau cyn gweiddi ar y dorf o'i flaen, 'Hy! Fe fydda i 'nôl rhyw ddiwrnod, credwch chi fi! Gewch chi i gyd dalu'n ddrud am hyn, dwi'n addo!' rhuodd cyn stryffaglu a diflannu o dan y tonnau.

'HWRÊÊÊÊÊ!' bloeddiodd trigolion Cwm Cwstard. Ro'n nhw'n ddiogel o grafangau'r hen gawr creulon unwaith eto. A dyma nhw'n mynd ati i ddiolch i'r Pedwarawd Pwerus am

eu hachub. Roedd pawb ar ben eu digon, a doedd y pedwar plentyn erioed wedi teimlo mor boblogaidd â hyn yn eu bywydau!

'Rhaid i ni ddathlu!' gwaeddodd rhywun o blith y dorf.

'Beth am i ni baratoi gwledd i anrhydeddu dewrder y pedwar arwr ifanc 'ma 'te?!' holodd Maer Tre Cleber yn orfoleddus. 'Mae'n rhaid bod Beli Bola Mawr wedi gadael rhywbeth heblaw hufen afiach ar ôl yn y siopau bwyd!' A chan chwerthin a chanu a dawnsio, dyma drigolion y cwm yn troi eu sylw i gyfeiriad siopau'r dre.

Gosododd Wili Owena'n ofalus i ganol y tonnau bach lawr ar y traeth.

'Diolch am fy achub i,' meddai'r octopws.

'Diolch i tithau am yr wybodaeth am Beli,' meddai Wili.

A chan chwifio'i thentaclau ar y pedwar plymiodd Owena ar wib i waelod y môr.

'Beth am i ni fynd i helpu pawb arall gyda'r wledd?' awgrymodd Sali wrth ei ffrindiau.

'Pam lai!' cytunodd Wili'n frwdfrydig.

'Dwi'n llwgu,' meddai Seimon, oedd yn dal i bigo'i drwyn.

‘A finnau. Dwi bron yn rhy wan i dorri gwynt hyd yn oed,’ nododd Poli’n flinedig.

‘Ha! Dwi ddim yn credu hynny am eiliad!’ meddai Wili’n ddrygionus.

Chwerthin llond eu boliau wnaeth y Pedwarawd Pwerus cyn cerdded i ganol y dref i ddathlu gyda phawb arall.

EPILOG

Eisteddai Wili, Sali, Seimon a Poli'n hapus o dan ganghennau'r goeden felysion ar lan afon Cwstard. Roedd y pedwar wrthi'n bwyta melysion oddi ar y goeden wrth i Beti, Barbra a Bob gweryla ymhlith ei gilydd yn y canghennau fry uwchben.

'Fi pia'r switsen 'na!' cwynodd Bob wrth Beti.

'Nage wir, fi sy â hi,' atebodd hithau'n fawreddog wrth lyncu'r peth melys yn farus.

'Byddwch yn dawel, wir,' dwrdiodd Barbra. 'Mae 'na fwy na digon i bawb!'

Roedd y criw wedi dod yn ffrindiau da ers iddyn nhw yrru Beli Bola Mawr i waelod y môr. Cafodd eu bywydau eu gweddnewid yn llwyr ers hynny hefyd wrth i'r Pedwarawd Pwerus ddod yn enwog!

Roedd Wili Silibili wedi ysgrifennu a gwerthu miliynau o lyfrau ar draws y byd. Enw ei nofel lwyddiannus oedd

HYNT A HELYNT Y PEDWARAWD PWERUS

Roedd ei stori'n olrhain anturiaethau pedwar plentyn arbennig wrth iddyn nhw ymladd yn erbyn eu gelyn, 'Y Beli Barfog', oedd wrthi'n ceisio bwyta'r byd.

Roedd gwallt Sali Seimllyd yn cael ei odro'n ddyddiol gan ei rhieni a'r saim yn cael ei ddefnyddio i wneud teganau seimllyd, ac roedd e'n gynhwysyn hanfodol ar gyfer gwneud sos coch. Defnyddiwyd baw trwyn Seimon Smwt i wneud cadeiriau sboncio a pheli sboncen. Roedd arogl pesychiadau pen-ôl Poli'n cael ei ddefnyddio wrth wneud bomiau drewllyd a oedd yn cael eu gwerthu mewn siopau jôcs ar hyd a lled y wlad. Ac roedd nwy y pesychiadau wedyn yn cael ei ddefnyddio fel tanwydd ar gyfer rocedi NASA! Roedd y pedwar nawr yn werth eu ffortiwn a phawb yn y cwm yn falch iawn o'u llwyddiant.

'Tybed beth mae Beli'n neud erbyn hyn?' holodd Sali Seimllyd yn freuddwydiol.

'Cwrso crancod a phoeni pysgod, siŵr o fod,' atebodd Wili Silibili'n ddireidus.

'Does dim ots 'da fi beth mae'n neud cyn belled â'i fod e'n cadw draw o Gwm Cwstard,' meddai Seimon. Am unwaith roedd ei fysedd e'n bell o'i drwyn.

'Dwi'n gobeithio'i fod e wedi dysgu gwers a'i fod e ychydig yn fwy parchus erbyn hyn,' ychwanegodd Poli.

'Hei, chi eisiau clywed jôc?' holodd Bob yn frwd o'r goeden

felysion uwchben.

'O na, dim un o jôcs di eto, Bob!' cwynodd y pedwar plentyn.

'Wel nawr, mae hon yn werth ei chlywed!' meddai'r wylan. 'Beth wedodd y llygad chwith wrth y llygad dde?'

'Beth? Beth? Beth?' holodd Beti a Barbra'n chwilfrydig.

'Rhyngot ti a fi, mae rhywbeth yn gwynto!'

Syllodd y plant ar ei gilydd am eiliad cyn dechrau rholio o gwmpas y llawr yn chwerthin.

'O diar, dw i ddim yn deall honna, Bob,' cwynodd Beti'n fawreddog.

'Na finnau chwaith,' twtiodd Barbra.

'Wel, beth sy'n eistedd rhwng dau lygad? Trwyn, ynte fe?! A beth mae trwyn yn ei neud? Gwynto, ynte fe!' esboniodd Bob.

Gwyliodd y gwylanod eu pedwar cyfaill yn chwerthin islaw. Ymhen dim roedd yr adar wedi ymuno gyda'r plant wrth chwerthin yn braf ar lan afon Cwstard.

Nofiai morfil glas llwglyd drwy'r môr. Doedd dim sôn am ei hoff fwyd cril, yn unman. 'Dyna ryfedd, mae'r dŵr yma'n ferw gan greaduriaid bychan fel arfer,' pendronodd yn bryderus. Yn sydyn, teimlodd rywbeth yn gafael yn ei gynffon. Trodd ei ben a gweld bod cwlwm trwchus o wymon wedi lapio'n dynn amdano. Ceisiodd ysgwyd ei gorff er mwyn rhyddhau ei gynffon o afael y llinyn hir ond doedd dim byd yn tycio.

'Os wyt ti eisiau cael dy ryddhau, cer â fi i fyny at wyneb y môr yr eiliad hon,' clywodd y morfil lais taranllyd yn chwyrnu gorchymyn. Yn sydyn, sylwodd fod cawr yn gafael yn dynn yn y gwymon ac yn gwenu'n faleisus arno.

'Pwy wyt ti a beth wyt ti'n neud fan hyn?' holodd y morfil.

'Fi yw Beli Bola Mawr a dwi 'di bod yn gwledda ar gril blasus y lle 'ma.'

'Felly ti sydd wedi bod wrthi! Ond beth tasen i'n gwrthod dy orchymyn di?' holodd y morfil.

Syllodd Beli ar y morfil a llyfu'i wefusau'n llwglyd. 'Mae'r cril yn iawn ond dwi'n siŵr y byddai creadur mawr fel ti'n gwneud pryd mwy teilwng i gawr mawr, newynog fel fi!'

Doedd dim angen i'r morfil feddwl ddwywaith a chododd yn gyflym tua wyneb y dŵr cyn gynted ag y medrai.

'Awyr iach o'r diwedd!' bloeddiodd Beli ar ôl iddo godi ei ben uwch y tonnau. 'Dwi'n casáu'r môr,' ychwanegodd yn ffyrnig cyn poeri llond cegaid o ddŵr hallt dros bob man.

‘A fyddai modd i ti adael fy nghynffon i’n rhydd nawr?’ holodd y morfil yn fonheddig.

‘Na, ddim eto, dwi angen i ti ’nghludo i draw at y lan ... ar unwaith!’ gorchmynnodd Beli.

Ysgydwodd y morfil ei ben a tharo’i gynffon yn galed yn erbyn y cawr. ‘Does dim byd gwaeth na chreadur anghwrtais,’ ebychodd y morfil wrth wylio Beli’n cael ei hyrddio’n uchel i’r awyr. Yna trodd ei ben a phlymio’n ôl i ddyfnderoedd y môr.

Disgynnodd Beli fel sach o datws ar y tywod meddal. Cododd ar ei draed yn araf cyn sylweddoli ei fod e’n sefyll ar dir sych unwaith eto!

‘HWRÊ!’ bloeddiodd yn orfoleddus wrth ddawnsio yn yr unfan. ‘Does neb yn cael y gorau o Beli Bola Mawr!’ cyhoeddodd. Ond o fewn eiliad trodd ei orfoledd yn hunllef pan sylweddolodd ble yn union roedd e wedi glanio. Safai Beli Bola Mawr ar ynys fach yng nghanol y môr. Doedd dim golwg o’r tir mawr yn unman.

‘NAAAAA!’ bloeddiodd y cawr yn uchel. Ond doedd yr un enaid byw yno i glywed ei sgrechiadau blin!